모호함의 언저리 4

4

글 · 그림
이지

모호함의 언저리

blackD

CONTENTS

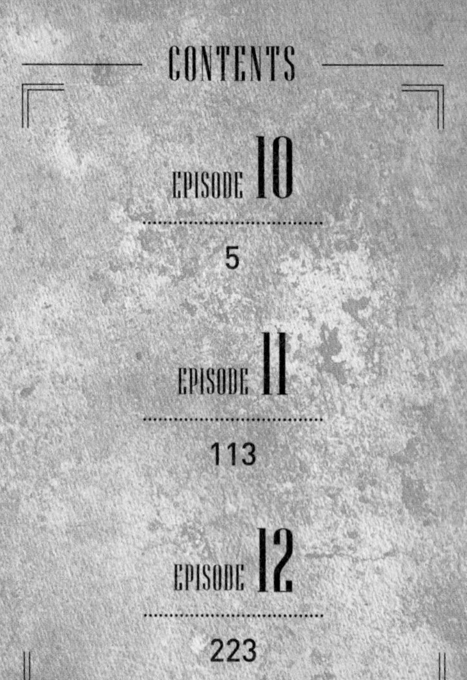

모호함의 언저리

EPISODE 10

딩동~
딩동~

잘 찾아왔네.
아— 말도 마. 송태희 때문에 존나 빙 돌아왔어.
수영이 하이~

밥은?
아직.
두리번
그럴 줄 알고 치킨 사왔지~
징잉~
올 땐 몰랐는데 뭔…감시카메라가 왜 이렇게 많아?

송태희 뭐 해? 들어와.
어, 응.
new balanC

야 씨, 너 왜 더 안 좋은 곳으로 이사했냐? 밤에 귀신 나올 거 같애.
안 나와.
탓

근데 이사한 거 왜 말 안 했냐?
툭
그냥 좀 바빴어. 이사 오고 자꾸 안 좋은 일들이 겹쳐서.

뭐? 뭔 안 좋은 일? 괜찮은 거 맞냐?
어, 어? 별거 아냐. 괜찮아. 걱정 안 해줘도 돼.
아차, 말실수 안 하게 조심해야지. 임규진 일은…

뭐, 그건 그렇고. 콜라가 없는데? 안 사왔어?
탓
아— 이 새끼가 아까 목마르다고 지 혼자 홀랑 처마셨어.
ㅋㅋ

괜찮아. 집에도 마실 거 있어. 갖고 올게.
오 센스~

…….
두리번

자취한다더니,
와… 이런 데서
어떻게 살지?
귀신이 아니라
벌레나 안 나오면
다행…

야 신수영,
너 부모님은
어디, 읍—
텁

야야, 너 웬만하면
재한테 가족 얘긴
묻지 마라.
소곤
왜?
소곤

그냥 좀…
엄마 아프셔서.
그런 이야기 안
좋아하거든.
안 그래도 요즘
좀 예민한데 분위기
꽁치지 말고.
알겠냐?
끄덕
끄덕
ㅇㅇ

뭐 진짜?
이성현 너도 한대
원서 넣었어?
어. 아빠가 거기
못 가면 죽인다는데
별수 있냐?

신수영 넌 알지?
우리 아빠 성깔?
대학 안 가겠다고 하면
그땐 호적에서
판다고 할걸.

아 그래서
송태희 개부러움.
얘네 부모님은
방목형이잖아.
어어—
꼭 그런 건 아냐.

나도 첨엔
부모님이 대학
보내려고 했어.
근데 난 공부보다
내가 하고 싶은 일 찾아
할 거라니까 중간에서
합의 본 거지.
야, 그게 그냥
해주신 거 같냐?
너네 집 돈 많다며.
돈 많으니까 하고 싶은
거 다 할 수 있는 거야.
어?

내 말 맞지?
안 그러냐
신수영?
응? 뭐…그래도
돈보단 기본적으로
학벌이 받쳐줘야지.

그러니까,
예를 들자면
이런 거?
아무리 기술직이 중요하다 해도 그사람
대학 졸업장 하나는 따고 시작할걸? 기초없이
회에 몸만 덩그러니 나가면 몸 고생, 마음 고생.
고생길이 훤하다고. 뭐…아무것도 없이 시작해도
되는 사람이 있긴 하지만 그래도 공부는 할
하는 게 좋아. 미래를 생
중얼
중얼

아— 신수영 지금
존나 꼰대 같아.
푸하하

야, 잰 글렀어.
공부 말고 할 줄
아는 게 없어서 그래.
어떻게 1학년 때랑
달라진 게 없냐.
절레
절레
왜. 그게
어때서.
아~ 너네
1학년 때 같은
반이었냐?

엉. 아 맞다
그럼 송태희 넌
모르겠네?
뭘?
신수영 2년 전에
진짜 대박사건
하나 있었는데.
ㅋㅋ
뭐?
있지도 않은 일
갖고 이상한 소리
해봤자…

쟤
수학여행 때—
야!! 그거
말하면 죽어!!!

씻을 때 뒤처리
귀찮으니까 한 방 쓰는
애들끼리 다 같이
샤워실 썼거든. 아니,
보통 그러잖아?
근데 걘 애들 다 하고
왜 마지막에 혼자
쓰는가 했더만 아니 글쎄,
거시기 털이 하나도…

이성현!!
야!!@#@#$@!
퍽
퍽

흠… 이렇게 보면
걍 평범해 보이는데.
그동안 그냥 내
착각이었나?
야 잠깐만, 근데
너도 그때 봤었어?
ㅋㅋㅋ

뭐 하긴,
그런 거였으면
1학년 때 다
뽀록났겠지.

아~ 됐다, 됐어. 너무 깊게 생각하지 말자.
슈욱
만약 둘 중에 하나가 찐이라도 난 상관없—

퍽
는…

푸하하하하핫
야야, 송태희 표정 봐라. 이게 바로 돈으로 세상 기만하는 놈들의 말로다~~
툭
야 그렇다고 치킨을 던지면 어떡해;; 아니면 퍽퍽살로 던지던가…
…….

벌떡
야ㅆㅂ 이성현, 너 일부러 그랬지? 아까 내가 콜라 하나 꿍친 거 때문에 그러냐?
ㅋㅋㅋ

쿵쾅
일로 와봐 너. 먹을 걸로 사람 패면 재밌냐?? 어???
쿵쾅
일로 왜봐~~ 일로 왜봐~~~
에휴…
new balanC

홀짝

이 새키
아아아-
쭈욱
쭈욱
…새삼 애들이랑 이렇게 모여서 노는 거 되게 오랜만이네.
하긴, 3학년 되고부턴 혼자 집에 있는 시간이 많아졌으니까. 여러가지 일들도 좀 있었고.

애들이랑 같이 대학교 가면 지금이랑은 또 달라지겠지? 오늘처럼 만나는 날도 훨씬 많아질 테고.

졸업… 빨리 졸업하고 싶다.

태지환
나중에 보기
메시지
거절
응답
어…

…전화는 되도록 둘만 있을 때 받아야지.
또 이상한 짓 하면 안 되니까.
탁
아아- 아파아파 그만! 송태희!
아프다고!

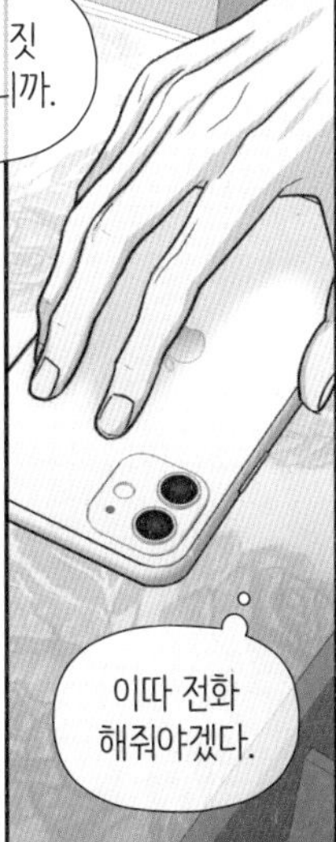
이따 전화 해줘야겠다.

담엔 애들 모아서
송태희네 집에
놀러가자.
달칵
뭐?
누구 맘대로.

너네 집
존나 크다매.
구경 시켜줘.
냄새나는 새끼들
집에 들여서
뭐 하게?
아오~진짜
말하는 거
개싸가지.

그럼 간다.
수능 끝나면 또
같이 모여서 놀자.
탓
아, 응.
…그랬으면
좋겠다.

…….

야— 신수영.
왜 또 그러냐?

너도
공부만 하지 말고
놀 땐 좀 놀고 그래.
탁
탁
평소랑 다르게
얼굴 펴가지고
얼마나 보기 좋냐?
내가
놀아줄 테니까
심심하면
언제든지 불러.
…응.

그럼
진짜 간다.
잘 가-

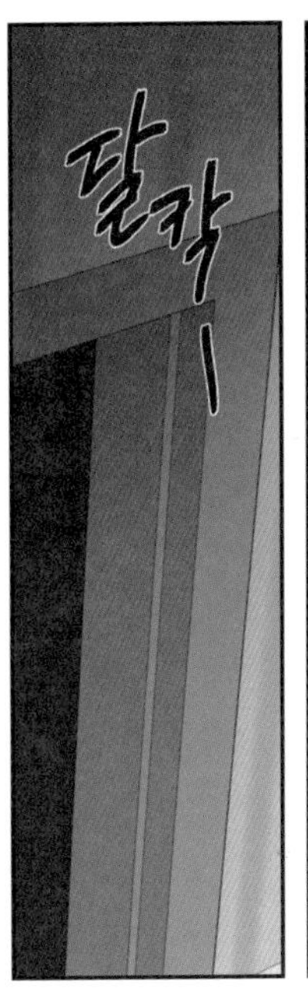
달칵

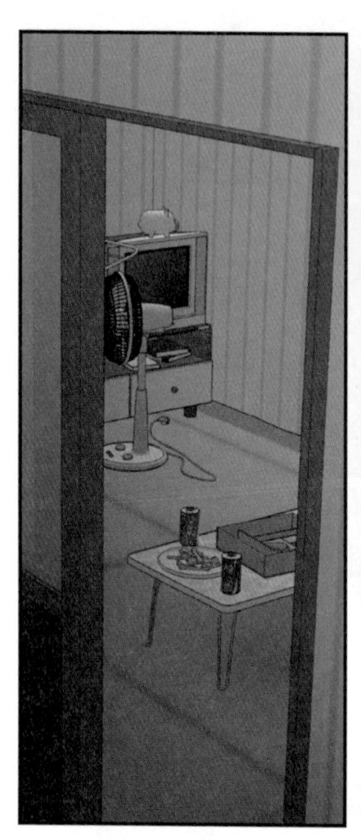

집이 이렇게
조용했었나…

아 맞다.
전화해줘야지.
new balanC

휴지통
태지환
스피커
연락처
전화를 받을
수 없어 삐 소리 후
음성 사서함으로—

…바로 안 받네.
웬일이지?
뭐 하고 있나?

여기 버정
가까워서 난
버스 타고 가야겠다.
잘 가라~
부동산
어. 낼 봐.

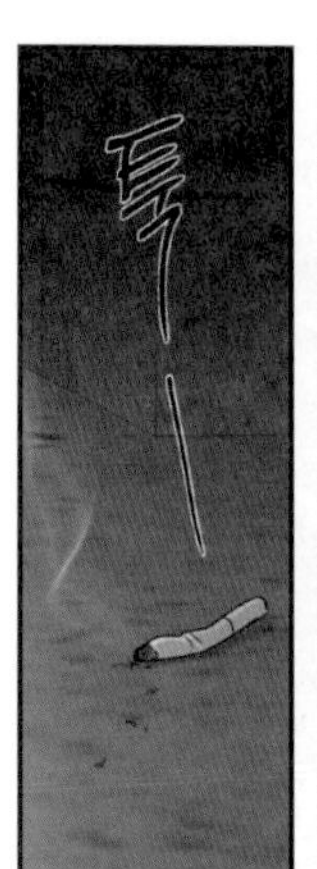
톡—

까톡
까톡

저벅
저벅
…….

홱!

수영
뭐지? 분명
발소리 들렸는데…

....

아~;;
잘못 들었겠지.
빨리 가야겠다~

야.

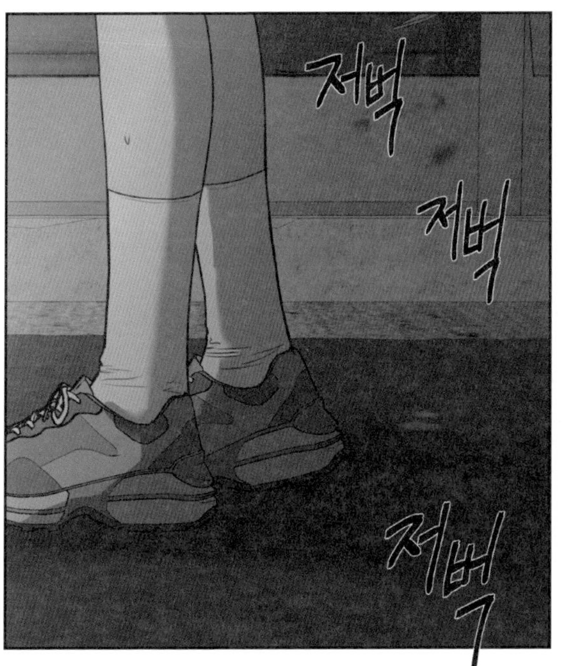
저벅
저벅
저벅

....
우뚝,

누…
타타타탓
우앗
쿠웅

뭔…
뭔 씨발…

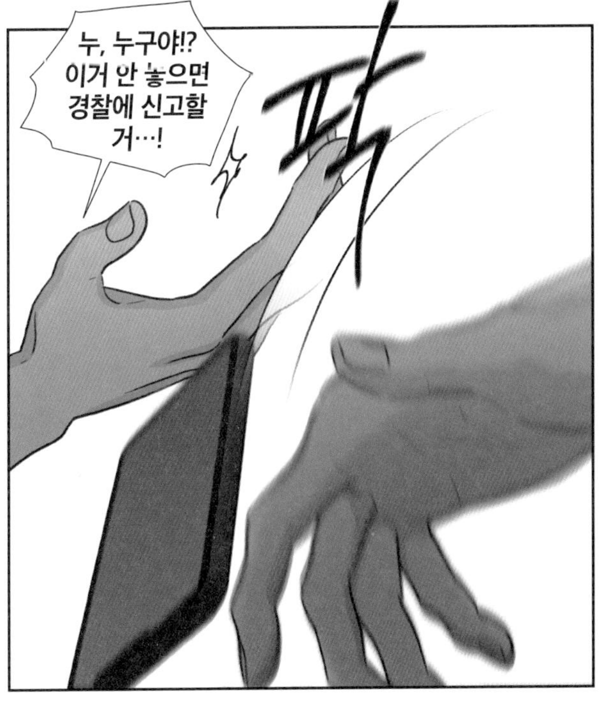
누, 누구야!? 이거 안 놓으면 경찰에 신고할 거…!
퍽

콰직

해. 근데
지금 말고
나중에.
뭐? 잠깐,
이 목소리는…

나야.
성현아.

……
…태지?

뭐야…
지금 뭐 하냐?
장난치는 거지?
장난?

글쎄, 것보다
난 너랑 이렇게
밖에서까지
만날 줄
전혀 생각
못 했는데.
뭐…그래서
지금 뭐 하는 짓인데?
너 나 미행했냐?
진짜
장난치는 거면
난 관심 없어.

일단
이거부터
좀 놔.

툭-

씨발…
진짜…!
그동안 나한테
켕긴 게 있으면
먼저 말로 풀자.
이러지 말고. 어?

두리번

콜록
콜록

야, 너도
뭐라고 말 좀 해봐.
왜 이러는지
들어나…아,
콜록
까톡

내가 너
뒤에서 씹고
다닌 건 사과할게.
사과하는데…
까톡

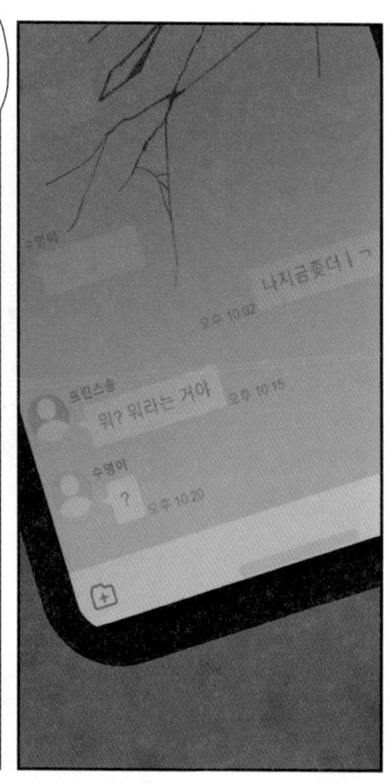
수영이
나지금좆더ㅣㄱ
오후 10:02
프린스송
뭐? 뭐라는 거야
오후 10:15
수영이
?
오후 10:20

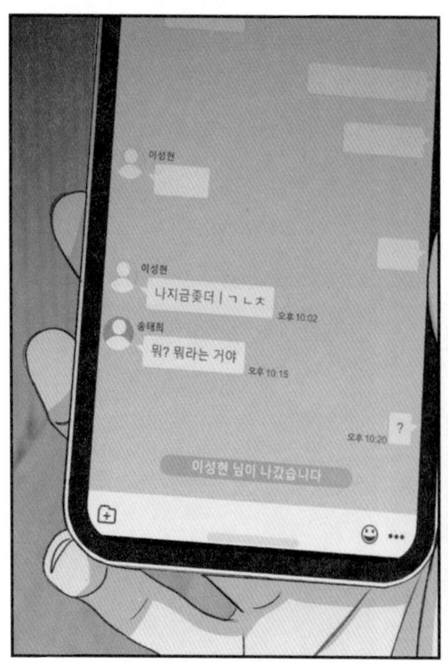
이성현
이성현
나지금좆더ㅣㄱㄴㅊ
오후 10:02
송태희
뭐? 뭐라는 거야
오후 10:15
?
오후 10:20
이성현 님이 나갔습니다

…뭐야?

드륵

아직 안 왔나?

얘들아. 성현이는?
덜컹
이성현? 못 본 거 같은데? 아직 안 온 듯?

어~ 야, 신수영 왔냐. 오늘 늦게 왔네.

야, 근데 이성현 톡방 왜 나갔대?
지가 먼저 우리 초대해놓곤.
모르겠어. 나도 그거 궁금해서 오늘 물어보려고 했는데.

그러고 보니 오늘 왜 안 보이지? 지각할 애는 아닌데.
탁

어제 전화는 해봤어?
…어? 아니. 너무 늦은 거 같아서 전화까진 못 했는데.
홱

…….
흘긋

뭐, 알아서 나중에 설명해주겠지. 근데 진짜 웃긴 놈이네.
자기 부랄 친구 단톡방이라고 나까지 끼워준다~ 어쩌고 하더니.

자자- 곧 종친다. 자리에 앉아라. 아직도 책상 위에 책 안 편 놈들은 뭐냐.
탁

웬일로 또 지각이래? 뭐 암튼 이따 이성현 오면 말하자.
응.

…뭐지?
뭔가 허전한데…
톡
톡

아.

인사 안 해줬네.
오늘은…

띵동
댕동
3-1
혹시 지환이 못 봤어?
태지? 아까 매점 쪽에서 보긴 했는데.
타닷
두리번

야—
태지환.
탁탁
점심시간에 어딜
그렇게 돌아다녀?
한참 찾았잖아.

왜? 날
왜 찾는데?
어…? 응?
왜 찾냐니…

어…
저벅
저벅

그러네. 딱히
이유는 없는데
왜 찾아다녔지?
…그래도
태지환이 맨날
점심시간에 먼저
불러줬는데.

우씨…
근데 뭔가…
졸졸졸..

저벅
저벅
갑자기 이러니까
오기 생기네.

ㅇ…야! 잠깐만.
사실 할 말 있어서
그래.
우뚝
너 왜 어제 전화
안 받았어?
전화?
무슨 전화.
…어젯밤에.
내가 전화한 거.
무슨
전화냐니…

설마
기억도 안 나?
너 통화 대기로
돌렸잖아.
몇 번
했는데?
어?
전화 건 거?
…한 번?

아니다,
두 번인가…?
그럼 넌
왜 안 받았는데?
내가
스무 번 넘게
전화 걸 동안.

그…어제
친구들이 집에 놀러 와서.
애들이랑 노느라 못 받았어.
근데 그렇게
많이 건지는 몰랐…
아, 아무튼 그래서
내가 다시 전화했잖아.
뭐지? 오늘
진짜 이상하네.

나참,
뭐 하는 거람.

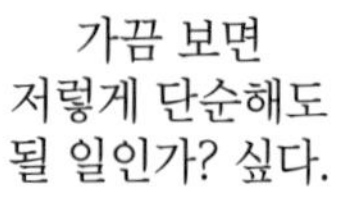
가끔 보면
저렇게 단순해도
될 일인가? 싶다.

고작 내 전화
하나로 저렇게
티를 못 내서
안달하는 꼴이라니.
크흠..
아침에 그랬던
것도 그럼…

그러니까 지금,
'나 삐져 있다'
…이거란 말이지?

타탓

?
휙!

와락!

야, 삐졌냐?

화 풀어—

난 또 뭐 땜에
그런가 했더니.
다음엔 내가 전화 더
많이 해주면 되잖아.
응?

그거 때문에 오늘
나랑 같이 밥 안 먹었지?
…….

홱

…?

아.
엄청
빨리 뛴다.

고등학생의
여름은 빨리 간다.
조금 흐르다
사라지는 이마 위의
땀처럼 정말
순식간이라서,

아, 미안.
갑자기 머리
잡아서.
하마터면 그냥
지나칠 뻔했다.
왜 그동안
막연하게만 느끼고
있었을까?
…어? 아냐.
괜찮아.
너무 당연하게
생각하고 있었나?
태지환의 호의를?

근데 지환아.
우리 밖에서 이러고
있으니까 덥다.
…그러네.

더운 공기 때문에
짙어진 체취,
그늘 아래
노곤한 열기.
문질,

내가 하는 말
한마디에 웃는 건지,
우울한 건지 시시각각
변하는 네 표정.

이제 가자.
곧 종 치겠네.
아, 벌써?

덥고 축축했던
계절이 지나가면
거기에 남아 있던
열기는 너무
뜨거워서,
다음 여름이
오기 전까지
그 냄새가 잘
안 잊혀진다.

아,
그런가 보다.
꾸욱..

나 너
좋아하는 거
같아.

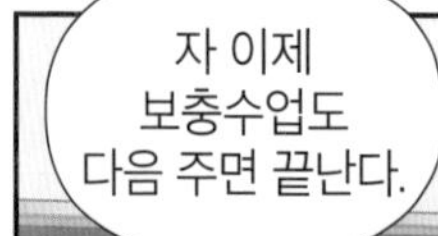
자 이제 보충수업도 다음 주면 끝난다.
올해 수시 합격 발표는 10월 중으로 날 거니까 합격자들은 수고했고.
나머지도 좀만 더 버티자. 알았지? 그럼, 종례—

허둥
지둥

바로 집 가?
응.
가, 같이 가자.

…….

아, 어차피 같이 갈 거긴 하지만 그냥 먼저 말해 보고 싶어서…
긁적..

슥

피식
그래.

주정차금지
견인지역
견인지역
주차금지

저벅,,
저벅,,

오늘따라
왜 이렇게
말이 없지?

음…
빠안..

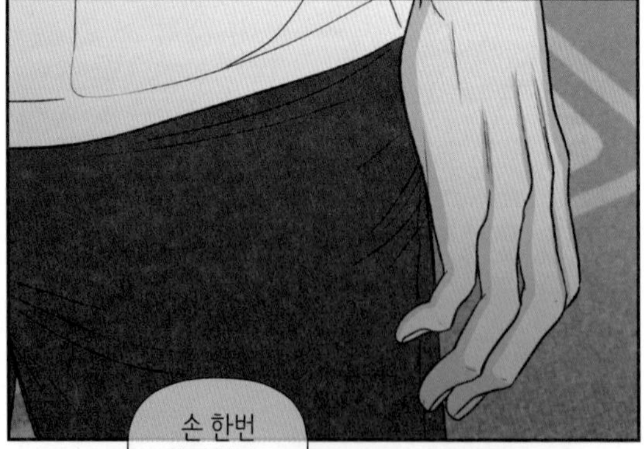

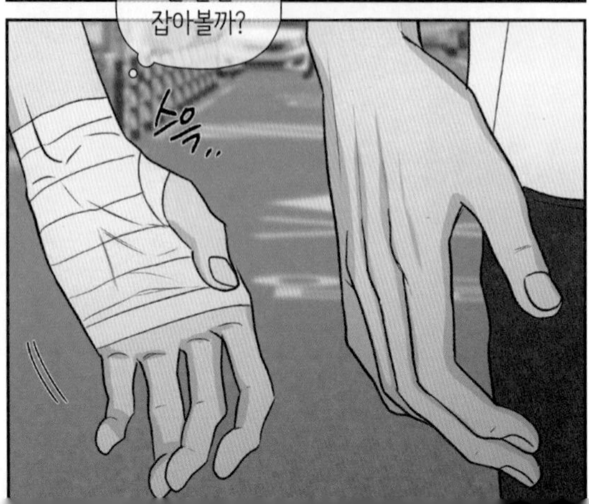
손 한번
잡아볼까?
스윽..

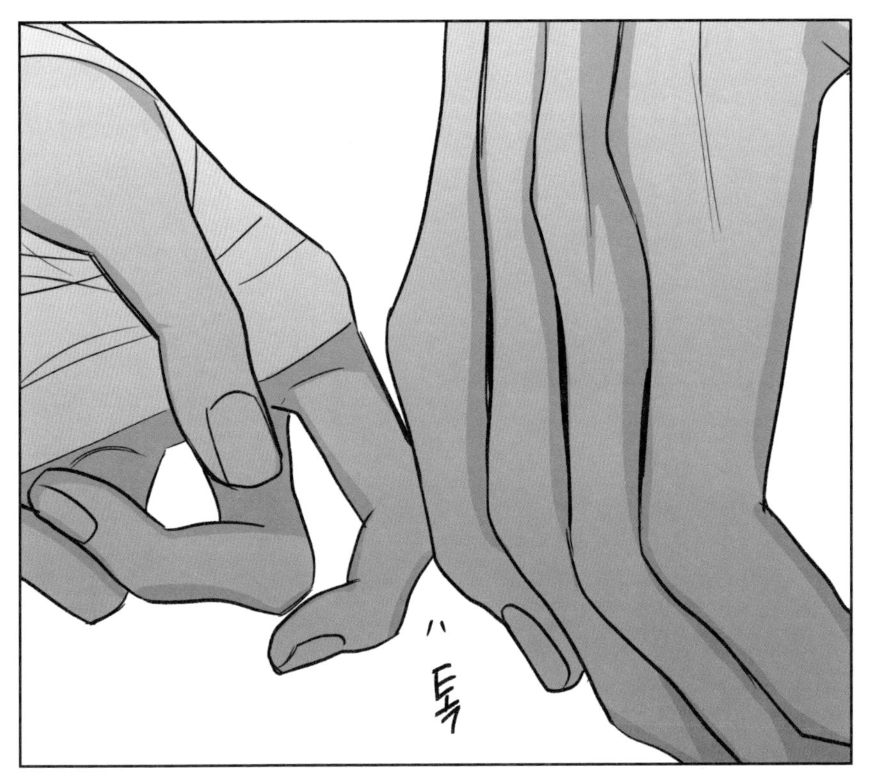
톡

방학 너무 짧다.
그치?
어?! 어어???
바, 방학??
화들짝

다음 주면
개학이네.
뭐 한 것도 없는
거 같은데.
아… 어어.
그러게.

두근…
두근…
와 뭐,
타이밍 뭐야…
알고 그런 건
아니겠지?
당연한 말, 크흠…
이지만 공부 말고
한 게 없는 거 같네.

근데 지환이 넌
수시 될 거 같아.
내가 장담하는데
진짜.
그래?
왜 그렇게
생각하는데?

그야… 넌 집안이
학교 재단이랑
관련 있다며?
가끔
쌤들이 하는
말 들어보면
부모님 사업이
그쪽이랑 연계돼
있다고들 하던데…
게다가 성적도
나름 괜찮고. 그런 거면
딱히 어려울 게 있겠어?

하하
부모님 사업하는 거랑
내가 대학교 가는 거랑
무슨 상관이야?
너무 복잡하게
생각하지 마. 그리고
뭣보다 아버지는 나
공부시키는 거에 별로
관심 없으셔.

오히려 관심
있어 하는 쪽이라면
공부보단…
내 주변 사람들일걸.

흐응…
그래애~?
있는 집
애들은 다 이런가?
누릴 거 평생 다 누려도
모자랄 텐데.
삐죽

내가 태지환이었으면
비싼 과외 과목별로
다 붙이지 않을까?
아니지.
과외뿐이겠어?
일단 여름에 에어컨
빵빵하게 틀고.
또…

저벅
저벅

무슨 생각을
그렇게 해? 미간에
주름 생겼어.
핫
어? 아아…
그냥 뭐…

역시 수영이 넌
그 색이 잘 받네.
응?
갑자기?

내가
사준 신발.
아.

잘
어울린다.
…….

퍽

?
퍽
퍽

야, 너…
너 가, 가끔 그런 식으로
간드러지게 말하는 거
좀 그만해.
예전부터 진짜
한두 번도
아니고오….
왜? 이렇게
말하는 거 싫어? 앞으로
그러지 말까?
뻘뻘
아, 아니…!
싫다는 건 아닌데…
이렇게 밖에선 그냥…
그냥 좀…누가 보면
오해할 수도 있고…
나도 몰라.
이걸 다 설명해
줘야 되냐.
탓
탓

톡
♪
♪~
♪
~-
♪

♪
오~ 뭐야 너
이런 음악도
들어?
뭐 그냥…
평소에 자주
듣긴 해.

흐응~
음악 취향은
나랑 잘 맞네.
흘긋
오늘은
그런 날인 거 같다.
왠지 그냥 이유 없이
기분 좋은 날.
♪~

덥긴 하지만
적당히 잔잔한 바람에
마침 노을지는
하늘색도 예쁘고.
아무것도 아닌데
좋아하는 사람이랑
같이 있으면 원래
이런 건가? 싶다.

누가 보면
오해는 무슨.
나도 그냥 머쓱해서
한 말이지 뭐…
쭈뼛..
쭈뼛..
…….

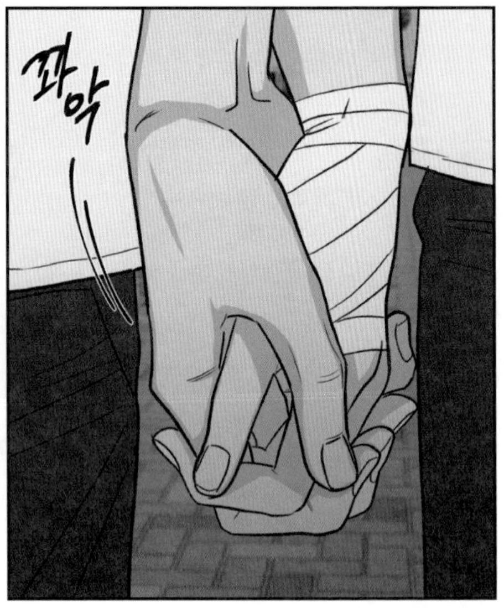
꽈악

아, 그러고 보니
팔에 상처…
언제 다친 거지?

수영아.
다음에 우리 집에
한번 올래?
너네 집?

왜?
이제 개학하면
공부는 신경 안 써도
되잖아 넌.
아니, 가족들한테
너 소개해주고 싶어.
아버지한테.

뭐?
아, 아버지?
응. 언젠가 정말
좋아하는 친구가 생기면
꼭 보여드리고
싶었거든.

응?
와줄래?

빠안—...
으, 음….

알겠어. 그럼
방학 끝나기 전에
한번 갈게.
저렇게 쳐다보면
어떻게 거절해.
그 말을 하기
무섭게 벌써
여름방학 막바지에
접어들었다.

평소랑 다를 거
없이 등교해서,
퉁
퉁

오전 보충수업이
끝나면 점심을 먹고.

또
공부하다가,
꾸벅

수업이 끝나면
항상 하교는
태지환과 함께.
가자 수영아.

아 맞다. 얼마 전에 학교 앞에 토스트집 새로 생긴 거 알아?
토스트?
거기 들렀다 가자.

거기 치즈토스트가 진짜 맛있대.
3-1

어쭈? 이성현 이야긴 꺼내지도 않네.

아, 그리고 성현이는 보충수업 남은 기간 동안 모두 결석했다.

이성현
20XX년 8월14일
오후 5:10
야 너 왜 학교 안 와?
20XX년 8월15일
오후 8:40
전화도 안 받고 뭐하냐?
20XX년 8월21일
오전 10:24
오후 3:20
무슨 일 있는 거면 전화해

전화만 안 받지 톡은 보는데… 대체 뭔 일 땜에 이러는 거지?
그런 거라면 이성현 성격에 분명 먼저 연락했을 텐데.
솨아아

…그래 뭐, 본인이 연락하기 곤란한 거면 섣불리 간섭하는 것도 별로 좋은 건 아니겠지.
슥
일단 개학할 때까진 기다려봐야겠다.

안녕하세요.
처음 뵙겠습니다.
제 이름은 신수영…

…….
뭔가 이상함

안녕하세요.
지환이 친구고요!
신수영이라고 합니다.
잘 부탁합니다!
더 이상함
어…아닌데.
이것도 좀 그런가?

삐삐삑
8:25
삐삐삑
아, 버스 올
시간이다.

그러고 보니
방에 있던 가족사진에도
아버지는 없던데
대체 어떤 분일까?
지환이처럼
다정한 분이려나?
아님 엄청
무섭다거나…

흐음~
엄마랑 되게 닮았던데
아빠도 닮은 구석이
있을까?
그동안 궁금했는데
드디어 알 수 있겠네.

달칵

탓
탓
버스 놓치진
않겠지?

나오셨네요.

탁
기다리고
있었습니다.
가시죠.

아, 감사…
합니다.

가방은 주시죠.
제가 들겠습니다.
네?! 아, 아뇨
괜찮아요.

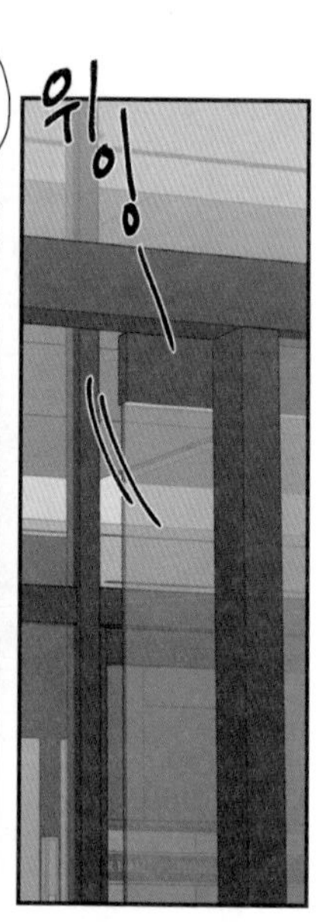
위잉-

안녕.
기다렸어.

안녕.
아버지 오시려면
아직 좀 있어야 되니까
그전까진 우리끼리
놀고 있자.

응.
너 온다곤 아직
말씀 안 드렸어.
응.

…이 아니고 잠깐,
뭐?! 말 안 했어?
뭘 그렇게
놀라?
걱정하지 마.
아무리 아버지라도
외부인한텐 친절히
대하실 테니까.

근데
그 가방은 뭐야?
뭐 가져왔어?
아, 그냥
혹시나 해서
참고서랑 공부할
거 이것저것…
이리 줘.

수영아. 오늘은
공부하는 날 아냐.
비서님한테
맡겨놓자.
응…

갖고
계세요.
펄
네.

탓
올라가자.

뽕
뽕

띠링
GAME OVE
앗!

또 죽었네.
난 게임에 재능
없나 봐…

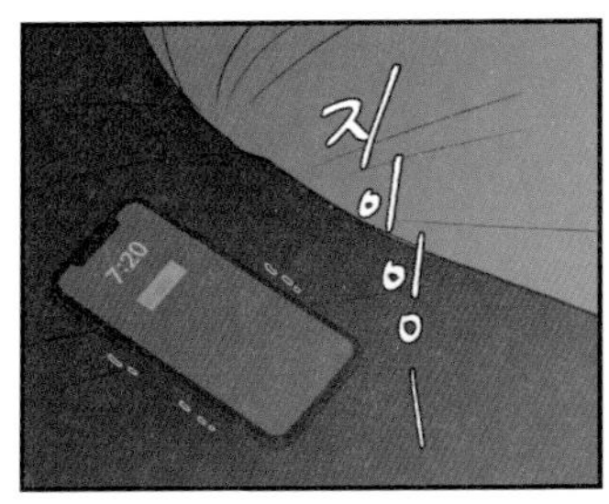

7:20
지이잉—

정비서
회장님 올라가십니다.

수영아 아버지 오셨대.
어!? 지금???
!!

생각보다 일찍 오셨네.
벌떡
아 잠깐, 나 그럼 화장실 좀…

너무 긴장하지 마. 그냥 평소처럼 하면 돼.
쿵쾅
심장이 입 밖으로 튀어나올 거 같…
쿵쾅

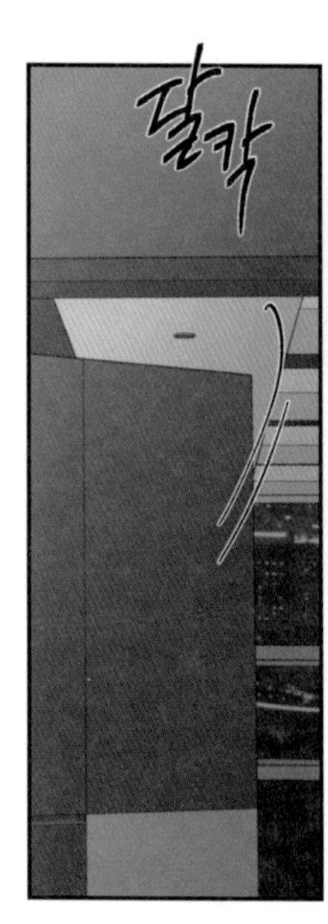
딸칵

거기서 뭘
멀뚱멀뚱 서 있니? 또
외부 일 때문에 성가시게
하려는 거면…
안녕하세요.
슥

처음
뵙겠습니다.
신수영…이라고
합니다.
…….
탓

중얼
참나…

어…

아버지.

지금
매니저분들이
저녁 준비 중인데
이따 저녁 같이
하시죠.
제 친구도
같이요.

알아서 해.
홱

싸늘...
무서워…

앗. 감,
감사합니다.
꾸벅
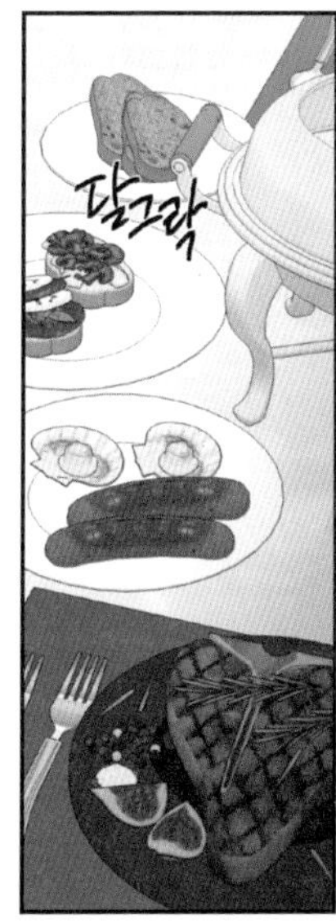
달그락

달그락…
달그락..

흘긋

으음…

이런 데선 원래 말 한마디도 하면 안 되는 건가?
근데 이거 어떻게 먹는 거지…?
부담

그건 또 뭐니?
헉, 아닌가 보다. 다행…
예? 뭘요?

못 보던 상처구나.
아… 이거요?

왜요? 궁금하세요?
이번엔 또 무슨 일인가 싶어서요?

됐다.

걱정 마세요.
그래도 아버지 명성에 누가 되는 일은 안 했으니까요.
키득

....

분위기 한번 살벌하네… 아버지랑 사이가 안 좋은가?
이럴 땐 어떻게 해야 되지?

이름이 수연… 수현이라고?
아, 신수영이라고 합니다.

지환이랑은 언제부터 알았니?
알게 된 건 고등학교 입학하고 얼마 안 돼서요.
그러니까 정확히는… 친구의 친구여서 알게 됐던 거 같아요.

그랬지?
응. 둘 다
재희랑 아는
사이였으니까.

그래. 그럼
부모님은 뭐
하시니?
네?
부모님…이요?

아, 어머니가
자영업하고 계세요.
동네에 작은 가게
운영하시고…
아버지는?
아, 아버지요?
그게… 그… 다른 일이
있으셔서 지금은…

아버지는
안 계시니?
……네.

지금은 어머니랑
둘이 살고 있어요.
아버진
어디 가시고?
돌아가셨어요.
어릴 때.

절레
절레

네 집안
사정은 안됐구나.
이런 대화 주제는 불편할
수도 있겠네.
아, 아뇨.
괜찮습니다.

기본적인 관례다만
내가 네 사정까지 알고
묻는 건 아닐 테니 이해…
그쯤 해두세요.
아버지.

제 친구예요.
그래서?
…그래서라뇨.
몰라서 물으시는
거예요?
이 자리는
아버지한테도 꽤
중요할 텐데요.

그리고 제가
아끼는 것들에 함부로
대하지 마세요.
중요하다니?
뭘…?

하하하!
재밌군. 살다 보니 이런 일도 다 있고. 재미있구나.

수영아. 기분 나빴으면 사과하마.
아니에요. 신경 쓰지 마세요.

…….

조심히 들어가. 도착하면 연락하고.
응.
미안해. 오늘 아버지가 한 말 내가 대신 사과할게.
아냐. 괜찮으니까 신경 쓰지 마. 나도 진짜 신경 안 써.
그럼. 정 비서님. 집 앞까지요.
네.
부웅
휙
달칵

네가 아끼는 거? 정말 웃기지도 않는 소리구나. 네 주제도 모르고.

그래서, 이제
앞으론 저 아이면
되는 거니?
네.

그 말
끝까지 지킬
자신 있어?

빵-
빵-
두리번
정 비서님…
되게 조용하신
분이네.
하긴, 예전에
임규진 일 때문에 한번
본 게 다긴 하지만.
할 말
있으세요?
네, 네?
아…아뇨.

다소곳-
...

그…사실
궁금한 게 있는데요.
지환이 원래 아버지랑
좀 소원한 편인가요?
엄격하신 건
알겠는데 그…뭐랄까,
훈육이라기보단 아버지가
일방적으로 지환이를
싫어하시는 거 같아서.
가족 같은…
느낌이
안 들어서요.

네.
좋아하진 않으시죠.
확실히.
아..

회장님은
원래 혈연에 별로
애착이 없으세요.
젊으셨을 때부터요.
아이도 원해서
가진 것도 아니라.

원해서 가진
게 아냐??
다만, 애착은 없지만
책임감은 있으시죠.
딱하지만 도련님도
원해서 그런 기질을 갖고
태어나셨겠어요?

도련님이
약 드시는 건
알고 계시죠?
약? 아, 네.
먹는 거야 몇 번
봤는데…
정신과
약이에요.

어릴 때부터
뇌 쪽에 문제가
좀 있었는데
사모님이 돌아가시고
증상이 심해지셨죠.
그래서 회장님이
지금까지 간신히
고삐 붙잡고…아니,
자제시키고 있는
겁니다.

도련님은
약 부작용으로 가끔
상식적인 사고방식에서
핀트가 어긋날 때가
종종 있습니다.
상식?
아, 가끔 그런
느낌이 들 때가
있긴 한데.

…그러니까
요는,
밑 빠진 독에
물 붓기라는
겁니다.

수영 학생,
도련님께 연민 같은 건
느끼지 마세요.
지금 이걸 물어본 것도
그런 감정이 들어서겠죠.
그리고…

도련님하곤
너무 가까이 지내지
않는 게 좋을 겁니다.
네?

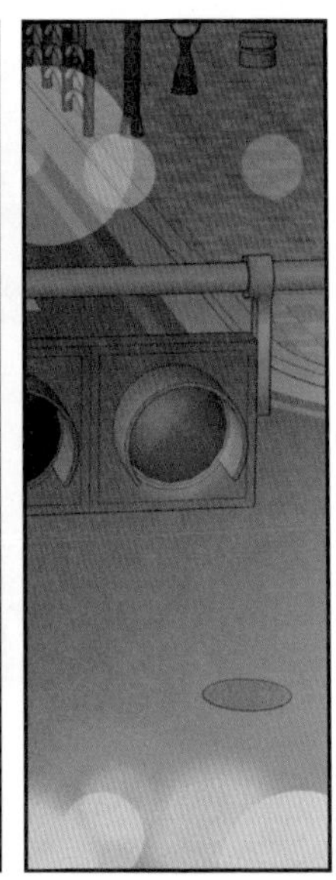

부웅—
200m 앞
유 턴

저기, 그게
무슨 말씀이세요?
…아닙니다.
방금 건 못 들은
걸로 하세요.

조만간 저랑
또 보게 될 날이
올 겁니다.
그때를 위해
방금 대화는 그냥
잊어주세요.

…응?
?

뭐라는 거야
이 사람?
이상한 사람이네.
견인지역

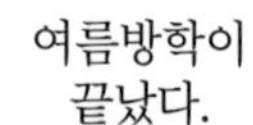
여름방학이 끝났다.

짧기도 짧았지만 올해는 더 그런 거 같다.
고3이라 그런가…
드르륵
길어도 네 달. 아니, 세 달이면 끝이네. 좀만 더 버티자.

야 이성현! 너 오랜만이다?
툭!

보충수업 때 왜 학교 안 나왔어? 연락도 안 되고.
뭔 일 있는 줄 알았는데 멀쩡해 보이네? 그동안 뭐 했냐?

……
왜? 뭘 멀뚱멀뚱 쳐다만 봐?

아, 뭐… 나 잠깐 화장실 좀.
홱
??

이성현이 뭐래?
어어— 그동안 가족이랑 여행 갔다 왔다던데?
일부러 씹은 건 아니고 연락할 시간이 없었댄다.

아… 그래?
이상하다? 성현이 아버지 되게 공부에 엄격하신 분 아니었나.

개학하고
이성현을 만났을 때
이상하게 반응했던
모습은 며칠이 지나도
다르지 않았다.
오늘 급식? 매점?
난 급식.
그럼 나도.

난 매점 갈래. 너네끼리 먹어.
홱
엉? 갑자기?

…….

왜? 나 쌤이 불러. 빨리 말해.
오늘 저녁에 축구 같이 볼 멤버 구하고 있어서. 너도 낄래?
어 근데 잠만, 신수영은 디코 안 하잖아.

너네가 하도 만들라고 해서 만들었어.
오~ 그래? 아이디 좀. 친추하게.

얘들아 미안.
나 오늘은
빠져야겠다.
휙
어어?
닌 또 왜!

걍 갑자기
다른 일 생각나서.
나중에 보자 나중에.
아놔 진짜
은근 슬쩍
피하는데
티 나는 거.

지금 딱
그거잖아.
뭐야 왜 저래?
짜증 나게 구네.

야—
이성현.

너 뭐 나한테
섭섭한 거 있냐?
언제까지 그러고
있을 건데?
그러지 말고
오늘 수업 마치고
새로 생긴
토스트집 가자.

내가 사줌.
콜?
…….

3-1

이렇게까지 했는데도 돌아온 이성현의 반응은,

민수야 나랑 자리 바꾸자. 너 내 자리 앉고 싶어했잖아.
오- 그래도 돼?
여전히 '개무시'였다.

야! 이성현!
팍!

너 진짜 왜 그러냐? 이젠 대답도 안 하고 자리까지 바꾸면서 대놓고 개무시하네?
지금 뭐 하잔 건데?

그러는 것도 한두 번이어야지 언제까지 이럴 건데?
내가 뭐 말실수했냐? 너한테? 왜 이러는지 들어나 보자. 어?

…아.

아 존나
눈치 없어
씨발…

뭐?
방금 욕했…
야, 내가 일일이
너한테 이건 이렇다
저건 저렇다 다
설명해줘야 되냐?
그냥 알아서 눈치껏
상대 안 하면 되잖아.
내가 왜 일부러 너한테
좆같이 굴었겠냐?

씨발, 공부만
처하더니 인간관계는
아주 그냥 눈치가
좆밥이네? 어?
한두 번 튕겼으면
그냥 알아서 신경 끄지
존나 질척대고 있어.
기분 더럽게.

야… 너
갑자기 뭔…
넌 옛날부터 그랬어.
집에서 외동이니 뭐니
오냐오냐 커가지고…
아, 그래.

너네 집 거지잖아.
아줌마 떡볶이
장사하잖아?
그러면서 한국대니
뭐니 자취까지 하면서
아득바득 염병 떠는 거
존나 꼴 보기 싫었다고.
쿠
웅

야!! 너 씨발, 무슨 말을 그렇게 하냐?
너 그럼 그때 우리 집 와서 그딴 생각하고 있었냐?

그렇게 멀쩡한 얼굴로 송태희랑 시시덕거리면서?? 이거 완전 미친 새끼 아냐?!
씹…

놔라. 좆만아.
사과해. 이 씨발, 개새끼가.

슥

팍
왜 그래.
무슨 일이야?
싸우지 마.

이성현 너…
너…씨발… 하….
진정해
수영아.

휙
휙
뭐 구경났어?
우리 반 앞에서
꺼져.

왜? 너도
할 말 있니
성현아?
절레
절레

가봐 그럼.
까딱

야, 어디 가!
사과하라고
이성현!!
버럭!
수영아,
진정하라니까.

놔, 나도 저런 새끼한테 할 말은 해야 될 거 아냐!
됐어. 너한테 저런 말 하는 애가 어떻게 친구야?
저런 애는 너랑 친구 아니야.
그냥 앞으로 상대하지 마.

진짜
때려죽이고 싶었다.
이성현을.
하마터면
큰일 날 뻔했는데
태지환이 말렸다.
태지환이
한 말이 맞다.
앞으로
이성현이랑은
상종 안 하면
된다.
그런데
기분이 썩 좋진
않았다.

수영인 저한테
과분한 애예요.
앞으로 제 인생에서
중요한 부분 중
하나가 될 거예요.
아버지도
느끼셨죠?
하하
저벅
넌 생긴 건
유진이를 닮았는데
하는 짓은 젊을 때의
나랑 똑같아.

그 친구,
어디까지 감당 가능할지
궁금하긴 하구나.
유약해 보이던데.
저는
아버지처럼
안 해요.
그때
어머니를 죽인 건
아버…
빠
악
크…
크크…
키득
키득

씨익
홱
정신
나간 놈…
어쩌다 저런
버러지 같은 놈이
나와서…

수군
수군

드르륵

웅성
웅성

…….
탁
뭘 저렇게
수군거려?
수군
수군
요즘 반 분위기가
좀 어수선해졌다.
나 혼자
그렇게 느끼는 건가?
싶었는데
그건 아니었다.

분명
내 얘기 하는
거 같은데…
저렇게 대놓고
씹을 거면 그냥 직접
와서 말하던가.

야 왔다.
지금지금.

슬쩍,

털썩
신수영,
하이~

너 원래 이
시간에 오냐?
어? 응.

소곤
야야,
가까이 와봐.
나 궁금한 게
있는데…
?

남자랑 하면 어때?
무슨 느낌이야?
근데 진짜 그게
그…좆이 들어가?
뒤로? 안까지 꽉 차?

……

ㅋㅋㅋㅋ
장난이야,
장난~
벌떡

뭐래?
몰라 말 안 해줌.
쳇

달칵

하아.
그딴 소문은 대체 누가 퍼뜨린 거야? 짐작 가는 사람도 딱히 없…

슥

아…
휙
이성현인가?

싱거운 새끼.
저런 놈을 친구라고
생각했던 내가
병신이지.

눈치껏 잘 하자
신수영.
?

서로
안 마주치게.
홱

아…
스트레스
받아.

2학기는 생각보다
시간이 빨리 갔다.
뒤에서 씹던 애들도
처음에야 몇 번 그러더니
이젠 관심도 없는 거 같다.
차라리 잘됐어.
이거저거 성가신
일도 없고.

급훈
내려갈 팀은
내려간다.
솔직히 이런 취급
당하는 이유도 전혀
납득 가진 않지만 그냥
신경 안 쓰기로 했다.

야, 너네 언제 화해할 거냐?
엉? 뭘.
신수영 계속 저대로 내버려두게?

아 됐어. 손절 친 지가 언젠데.

지랄. 손절 친 게 아니라 손절 당한 거 아님? 개소리는 니가 먼저 했잖아.
하

야 송태희. 쟤 입장에선 너랑 나랑 친구인 시점에서 너도 나가리 했어.
그러면서 지금 누구 걱정을 하고 자빠졌냐?
아니, 그게 걱정하는 꼬라지긴 한가? 착한 척하지 마 새꺄.

…근데 너네 왜 싸웠냐? 방학 중까진 잘만 놀았잖아.
홱
아— 몰라. 더 이상 그 얘기 꺼내지 마. 너 재랑 놀 거면 알아서 해라.

그리고 웬만해선 너도 짜치기 싫으면 안 엮이는 게 좋을 거다.

급훈
내려갈 팀은 내려간다.
중얼..
뭐라는 거야 ㅅㅂ…

다 들린다 개새끼들아. 지금 사과해야 될 사람이 누군데?
이성현이나 옆에서 떠보는 송태희나…

슥
대학 같이 가자고 할 땐 언제고 친구는 무슨 씨발…

수영아,
매점 가자.

지금?
곧 종칠 텐데.
빨리
갔다 오자.

…쳇

저벅
저벅

친구…그래 뭐, 친구라고 해봤자 몇 명이나 필요하겠어?
한 명만 있어도 충분한데.

아 맞다, 너 팔 이제 괜찮아? 생각보다 상처가 오래가네.
응.

어쩌다 다쳤어?
그냥, 재밌는 거 하려고 손 좀 본 거지.

뭐야 그게? 일부러 다친 것처럼 말한다?
재밌는 거?
왜? 궁금해?

수영아, 이거…
누가 그랬는지
알려줄까?
야!
내 말이 맞지 ㅋㅋ?
요즘 여자애들 수준이
딱 그 정도라니까?

그냥 만나주는
것도 감지덕지해야지
가지가지 하네. 남자가
무슨 ATM인 줄 안…
퍽

얼레…
흥건..
어, 미안 미안.
내려오는 거
못 봤어.
…….
잠깐, 내가
휴지 갖고 올게.

줘봐.
어?
갖고 있는 거
줘봐.
이거?
얼마 안 남은…

콸콸콸
아 차가!
엇…

네 침 섞인 거
몸에 묻었잖아.
더럽게.
휙

야 ㅅㅂ!!
나도 일부러
그런 게 아니라—
딱!
악.

딱
응?
아! 그, 그만!
코를 왜 때려!
딱
딱
아—
아프다고;;

아파?
근데?
딱
미, 미안!
미안해. 앞으로
조심할게.
딱
……

키득
키득

왜?
어? 어…
아니. 응?

아! 아참,
이러고 있으면
안 되지.
빨리
매점 가자.
종 치겠다.
홱

아오 씨…
끈적해졌어.

태, 태지야?
나 이제 가도 돼?
아 미안하다고오-

EPISODE II

모호함의 언저리

관찰일지 첫 번째.
지환이는 다정하고
상냥하다.
에휴

감기 걸렸어?
응? 아니.
그런 거 같지는
않은데…

요즘 갑자기
쌀쌀해졌는데
따듯하게 입고 다녀.
응—
훌쩍
토닥

다음 날
수영아.
이거 마셔.

뭐야?
감기약.

지금은 괜찮아도 혹시 아프면 안 되잖아.
내심 좋은 듯
아. 고, 고마워…

이렇게 하나하나 신경 써주는 게 그냥 착해서인지 섬세한 건지 둘 중 하나 고르라면…
섬세한 쪽인 거 같은데.

…? 왜 그렇게 빤히 쳐다봐?
보답은?

뭐… 돈이라도 줄까?
아니, 돈은 됐고.

풉
뽀뽀?

관찰일지 두 번째.
지환이는 활짝 웃을 때
왼쪽 뺨에 작게
보조개가 패인다.

그냥 웃을 때 말고
'활짝' 웃을 때만.

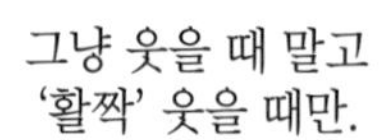

관찰일지 세 번째.

그런 섬세함도 나 이외의 사람들에게 지나치다 싶을 정도로 쌀쌀맞게 대하는 걸 최근에서야 알게 됐다.

그리고 관찰일지
네 번째.
요즘 유독 하나씩
눈에 보이기 시작한
행동들이 있다.
뭐,
예를 들자면…

…….

학교에서
붙어 있는 시간이
부쩍 많아졌다.
아니, 일방적으로
내 뒤만 따라다닌다
해야 되나?

점심시간이나
하교할 때만 같이
다니는 정도였던
거 같은데…

뭐 해?
폰 게임.
…아.

왜?
불편해?
탁
응?
아니 그런 건
아니고….
쉬는 시간인데
애들이랑 놀지 왜
맨날 내 옆에 붙어
있나 싶어서.

난 자습만 하는데 재미없잖아.
이렇게 시간 보내는 거 아깝지 않나 싶어서…

아닌데? 예전엔 네가 먼저 나랑 붙어 있으려고 했잖아.
싸아..
화장실도 같이 가자고 항상 그래놓고 이제 와서?

아, 그건…
그땐 심적으로 힘들 때였으니까.

수영이 너 요새 좀 풀어졌네.
사락..

…아. 알겠다. 위기의식이 없어져서 그런가?
응? 그게 뭔데?

아냐.
아무것도.
확
…….

아.
그런가?
끄적
위기의식…?
하긴, 예전부터
지환이 옆에 항상
있으려고 했던 사람은
오히려 나였지.
라고.
네 번째 관찰일지는
그렇게 정정하며
마무리 지었다.

톡
톡

태지환
생각보다 좀 오래 걸리네. 점심 시간에 늦을 거같아.
오후 12:40
먼저 먹고 있어. 괜찮지?
오후 12:40
응
오후 12:41
끄덕
오후 12:41

휴우~
스르륵..

살랑..
간만에 혼자 있는
점심시간이네.
한가로워서 좋다…
찌익

어~ 오늘
새로 나온 빵!
마지막 하나 남은 거
네가 사갔냐?

털썩!

삐죽..
……

너네 갑자기
뭐 땜에 그렇게
싸운 건진 모르겠는데.
난 빼줘.
뭘 빼?

네가 오해하고 있을 거 같아서 말하는데, 나 이성현한테 뭐 들은 거 아무것도 없어.
나도 걔가 왜 그러는지 전혀 모르겠다니까?

어쩌라고?
버럭
이거 봐! 너 이럴 줄 알았어!

내가 이성현이랑 먼저 친구였다고 나랑 걔랑 같은 놈이라 생각하나 본데,
난 그런 거 관심 없다고. 너한테 악감정 없어.

…알아.
그러냐? 근데 알면서 왜 나까지 무시하냐?

알면서 왜 그러냐고?
솔직히, 애들한테 그런 소문이 퍼진 순간부터 예전처럼 평범하게 친구들을 대할 자신이 없을 거 같단 생각이 들었다.

왜냐면 그 소문에
딱히 부정도, 긍정도
할 수 없었으니까.
야 나
궁금한 게
있는데…

살면서 누구한테
커밍아웃 같은 거
할 생각도 없긴 하지만
막상 비슷한 순간을
마주하니 머릿속이
새하얘졌다.
무서웠던 걸까?
창피했던 걸까?
아니면 그냥 자포자기?

어쨌든
결국은…
이런 답도 없는 생각만
늘어놓고 있을 바에
혼자가 되는 쪽을
선택하기로 했다.

됐어. 이미
틀어진 거. 송태희
너도 그냥 피곤하게
굴지 말고 신경 꺼.
벌떡
나도 너네한테
미련 없으니까.
하나니
쪼옥
퉁
바나나향 우유

으으 추워…
내일부터 그냥 마이
가지고 다닐까.
휘잉~
저벅
저벅
홱
일반쓰레기

…요즘 너무
예민한가?

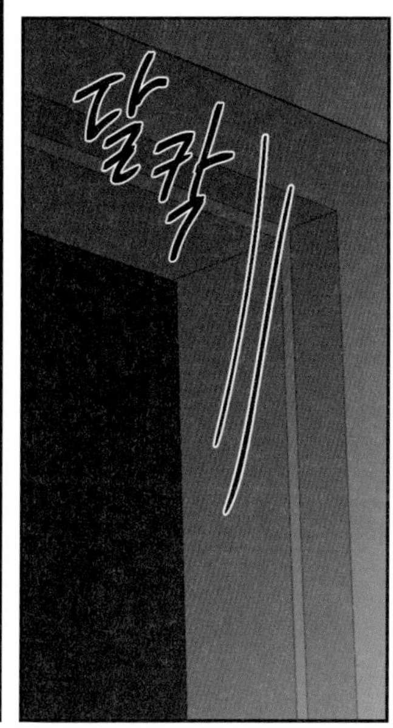
달칵

뭐 하긴, 그럴 만도 하지.
벌써 다음 주면 수시
발표 시작하니까.
시간 되게 빠르네…
벌써 시월 말이라니.

지이잉

탓
응 지환아.
집 도착했어?
뭐 하고 있었어.
나도 이제
막 들어왔어.

아 맞다. 오늘
신상 빵 들어왔는데
맛있더라.
그래?
홱
내일 같이
사먹자.

근데 좀
치자마자 가야 될걸?
금방 매진되던데.
수영아.
딸칵
응?

요즘
친구들이랑
안 좋아?

괜찮은
거야?

…응, 그냥 뭐.
너도 알지?
딸칵
뭘?
요즘 나한테
이상한 소문
퍼진 거.

남자애들이야
원래 그런 거로
놀리는 거
좋아하잖아.
딸칵
놀리는 척하다가
진짜가 싫어서
점점 피하게 되고.

근데 나도
그런 애들 일일이
상대하는 것도
귀찮고.
딸칵
오히려
잘됐지 뭐.
…….

난 너 안 버려.

…어?
제일 친한 친구 성현이랑 그렇게 된 것도.
이건 다른 문제처럼 내가 어떻게 해줄 수 있는 게 없어서…
사실 그거 때문에 계속 걱정됐거든.
아냐 괜찮아. 네가 해주긴 뭘.
이상하다.
수영아. 난 너한테 무슨 일이 있든, 누가 간섭하고 뭐라든,
항상 네 옆에 있을 거야.
안 버린다니? 그게 무슨 말이지?
별거 아닌데도 태지환이 해주는 말이면 위로가 되는 거 같다.

…라고 생각하는 게
맞는지 아닌지
헷갈릴 때도
있지만 아무튼.

뚝
신수영
03:30
소리끔
키패드
스피커
통화추가
Face time
연락처

쪽

톡
톡

뚜루루..
뚜루루..

딸칵
예. 도련님.
아시죠? 다음 주예요. 이제 슬슬 시작하세요.
이번 일은 특별히 그 잘난 회장님께서도 손 봐주신다 했으니 어려울 건 없을 거예요.

뒤탈 없게
하세요.
…알겠습니다.

그 소문은
내가 퍼뜨린 게
아니다.

솔직히, 신수영하곤
이렇게 될 거란 상상은
하지도 못했다.

1학년 때 같은
반이 된 걸 계기로
친해지게 됐는데,
야 너
ㅇㅇ중
나왔지?
어떻게
알았어?

본인은 몰랐겠지만
늘 신수영 주변엔
음흉한 새끼들이
꼬였다.
신수영~ 오늘
우리 집 놀러 올래?
도서관 가야
되는데.

어차피 공부할 거잖아.
그럴 거면 우리
집에서 같이 해.
음…그럴까.
돈도 아낄 겸.

홱
야야, 신수영
인생 말아먹을 일 있냐?
너 같은 애랑 놀게?
공부는 무슨 지랄 ㅋㅋ
아놔-
?
진짜 꼴 보기
싫어서 몇 번이고
간섭했었다.

시간 괜찮으면
피방 ㄱ?
ㅇㅇ ㄱㄱ
그렇게 이놈 저놈
떼어내다 보니 그때
신수영이랑 놀던 놈은
나말고 얼마 없었다.

친구들은 날 가리킬 때
'이기적인 놈' 또는
'약았다'라고들 많이
말한다.
자습서 공유 좀
해달라 해야지ㅋ
씨익
인성이
좋은 것도 아니고
나쁜 것도 아닌.
이걸 통 쳐서
뭐라더라 속물?
위선자?

근데,
그래서 뭐?
벌컥
뚜영아~
매점 가장.
어.
덜떨어진 놈들보다
머리 좋은 놈 옆에
붙어 있으면 언젠가
주워 먹을 떡은 알아서
떨어지는 거다.
수학여행
같은 방 쓰실?
ㅇㅇ
신수영 옆에
붙어 있던 것도
오롯이 내 창창한
앞날을 위해서였고,
서로 트러블
하나 없이
잘 맞았다.

그 개미친
싸이코 새끼가
나타나기 전까지는.

쨍그랑
주차금지

슥

자. 받아.
휙
뭔…

찔러.
툭

???
어디가 좋을까. 잘 보이는 곳… 얼굴이 좋겠네.
한 7, 8센티쯤. 두세 달 정도 오래 갈 수 있게 잘 그어.

뭐? 너 미쳤어? 아까부터 뭔 개소리야? 이러는 이유가 뭔데?
신수영한테 네가 한 짓이라고 말할 거야.
……??
빨리 해.
이거 완전 또라이 새끼 아냐? 안 해! 그런 걸 왜 해!
버럭
하아…
팍

그냥 해.
이게 어려워?
그으라니까?
놔, 놔! 야, 너
진짜 죽으려고
작정했어?!
놓으…!!!
……!
아…

제대로
찍었어요?
네.
?
잘했어요.
홱
이제 가서
기다리고 계세요.
금방 끝나니까.
뭐, 됐어.
이걸로 걘
이제 널 싫어하게
되겠지.
쓱
쓱
스윽
그럼 이제
내 차례네.
어?
잠깐 잠깐,
뭐, 뭘?!
휙
그냥. 오늘
기분 안 좋아서
좀 풀 겸.
같은 곳에 하면
눈치챌 거 같으니까
안 보이는 곳에다
하자.

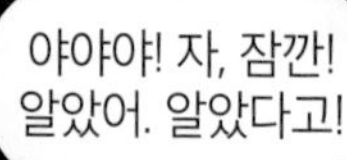

뭔 짓을 해도 좋으니 최대한 한 번에 끝내. 그리고 걔 앞에서 꺼져.

친한 척 하지도 말고, 말도 걸지 말고.

그냥 앞으로 신수영한테 뭔 일이 있든 신수영에 대한 건 머릿속에서 먼지 한 톨 남김없이 지워.

…그게
다야?
진짜
그거면
돼?
뭐야
이 새끼?
같은 말
두 번 하게
만들지 마
성현아.
쭈뼛
쭈뼛
씨익
겨우 그거 때문에
이딴 짓을 한다고?
신수영이 대체 뭐길래?

왜? 궁금해?
나 수영이 좋아해.
어?
졸업하면
수영이랑 같이
살 거야.
아— 아니,
같이 살자고 하게
만들어야지.

그러려면 걔 주변엔
개미 새끼 한 마리도
남아 있으면 안 돼.
지금 성현이
네 꼴처럼 사람은
한번 무너지면 다시
일어나려고 애쓰기
마련이지.
주변에
의지할 수 있는
유대관계를 잘 쌓은
인간관계가 있다면
그 사람들의
도움도 받으면서
말이야.

나는 그걸
천천히 조금씩
밟아서 없앨 거야.
걔한테 필요한 건
그게 아니니까.
툭
그렇게 하나 둘…
사라지다가 이상하다
느낄 때쯤 주변을
돌아봤는데
아무도 없는 거지.
나 말고.
그때 자기 앞에
유일하게 남아 있는
내 존재를 보면 뭐라
생각하고 있을까?
신수영은?

…….
씨발…
뭐라 생각하긴?
개또라이라
생각하겠지.
카득
솔직히…
이제껏 살면서 뭔가에
이렇게 집착했던 적은
없는 거 같아.
그냥 뭐랄까.
쉽게 말해서…
꽉
헉! 씹—
너도 알지?
좆 대가리에
피 몰리는 기분.
나한테 수영인
그런 거야.

더럽다.

뱃속이 뒤틀리고
구역질 난다.
이 새낀 여느 놈들이랑은
차원이 다르다.

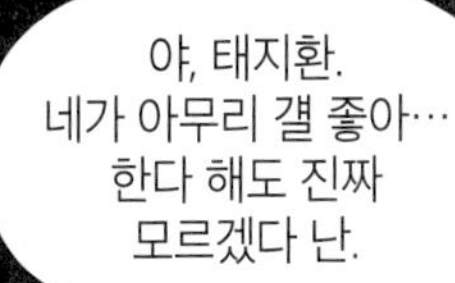

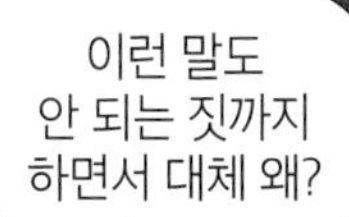

‘사랑하니까’

아— 씨.
왜 또 하필
복도에 나와 있냐.
일찍도 오네.
떨떠름..

아…

불쌍한
신수영.

매점이나
갔다 와야겠다.
휙
미안하게 됐다.
수영아.

나도 저런
정신병자 새끼는
감당 못 해.
난 이기적이고
계산적인 놈이라
내 신변이 제일
먼저거든.

그래도 나중에
혹시 사과할 수
있게 되면…

됐다.
이제 내 알 바
아니지.

어? 뭐지?

불쾌하고…
이상한
냄새가 나는데.

태지환?
지환이다.

응?

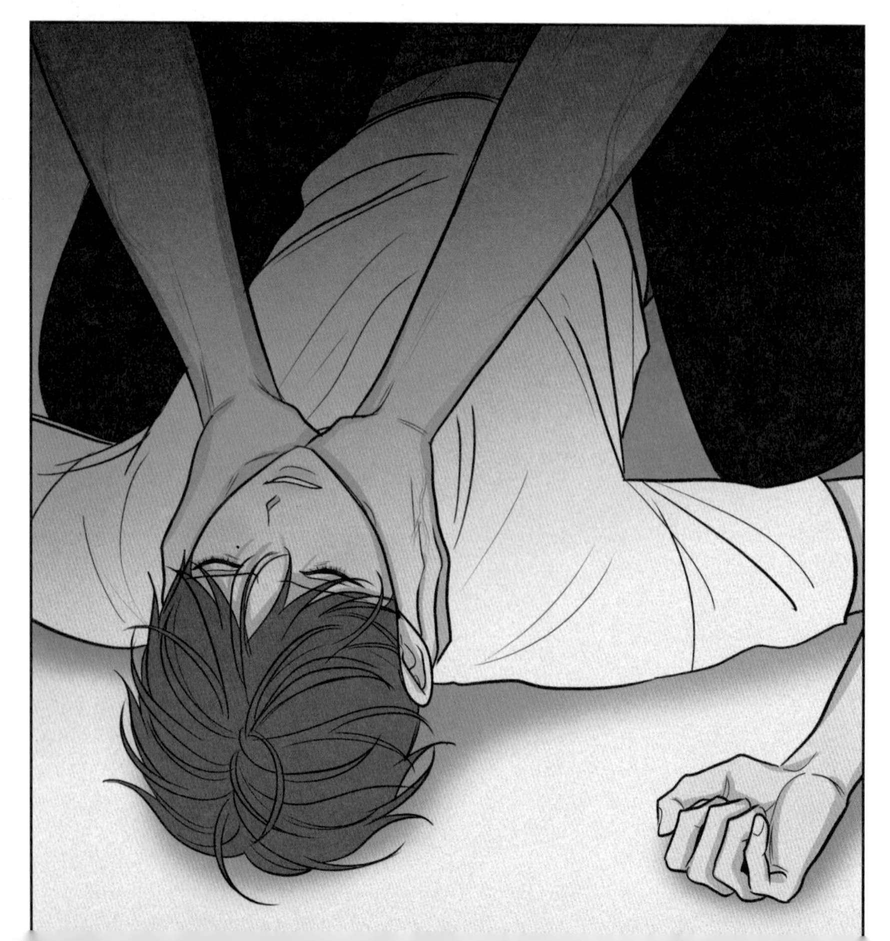

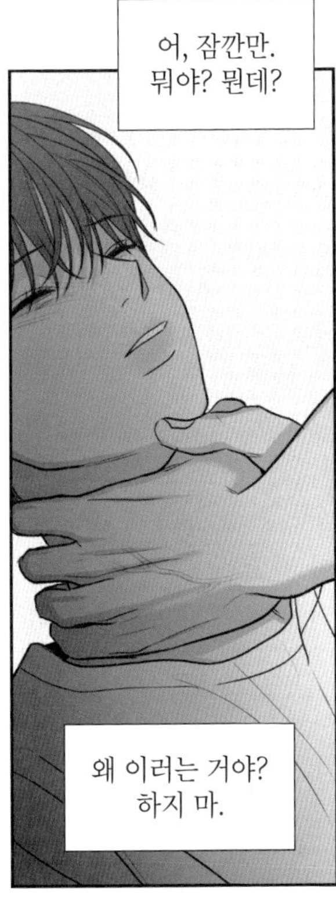
어, 잠깐만.
뭐야? 뭔데?
왜 이러는 거야?
하지 마.

목소리가
안 나와.
지환아 나
숨 못 쉬겠는데.

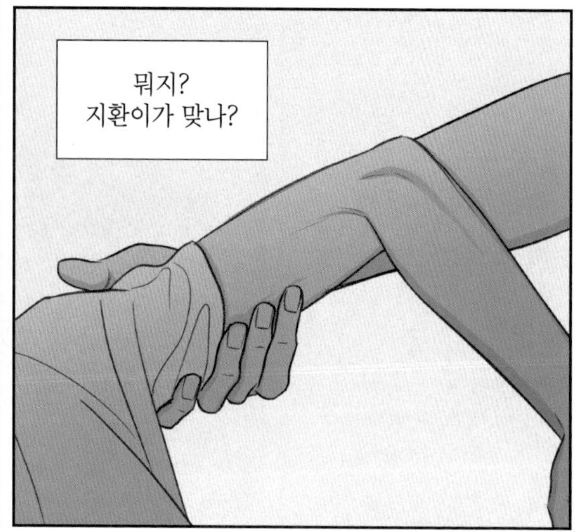
뭐지?
지환이가 맞나?

이 장면
어디서 봤더라?
아.

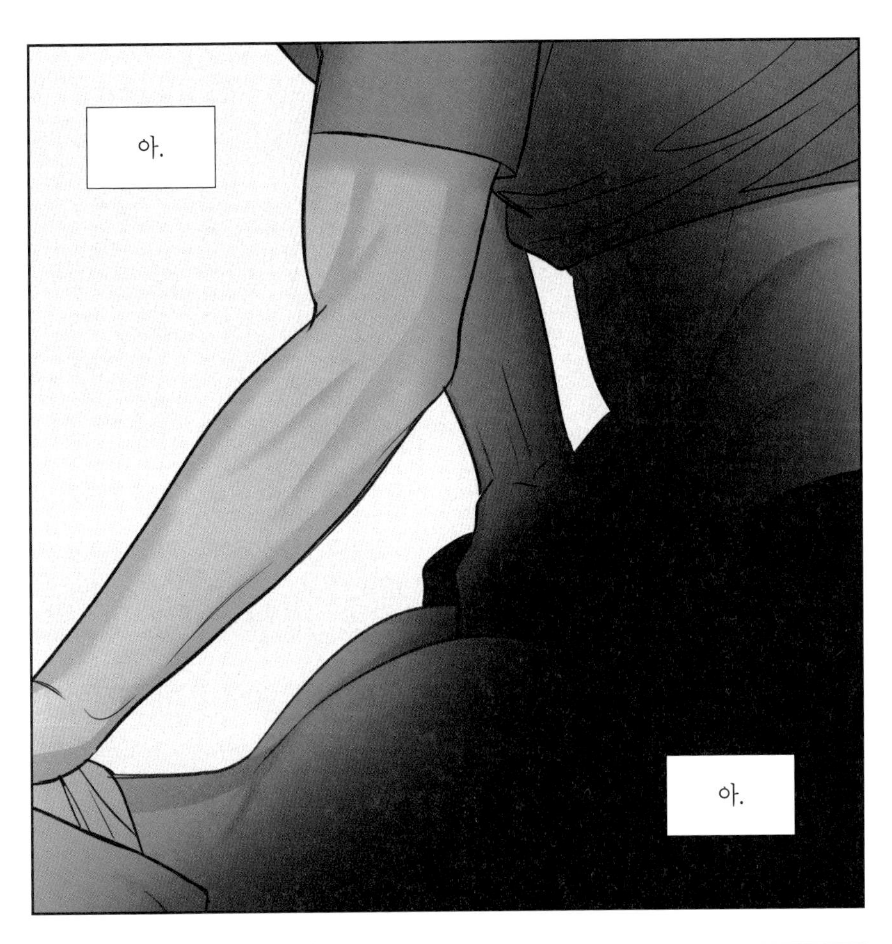
아.
아.

처음은
그 새끼한테 대줬지?
그럼 두 번째는
나로 해.

헉.

아,
아파.

아파 아파 아파 아파

벌떡!
헉—

삐비비빅
삐비빅

…….

삐삐삐삐빅—
6:30
삐삐삐삐빅

11
삐삐삐빅—
아…
좆같아…

딩동~
댕동~

벌컥!!
야! 한대는 지금 1차 합발 났대. 확인해봐 빨리빨리.

하 씨발 개떨리네
두구두구두구~

야 씨발 합격이다!!!!!
우오오오오
수시모집 1차 합
성명
태지환
생년월일
04.7.11
수험번호
01235566
1차 수시전형에 합격
1차 합격자

헐.

와 씨,
축하한다.
아직
다 끝난 거 아냐.
면접 남았어.
탁
탁

에이~ 면접이야
아갈만 좀 털면
되는 거 아님?
아니거든
등신아-

톡
톡

휴, 이게 뭐라고
이렇게 떨리지.
두근
두근
혹시라도…
혹시라도 안 돼도
너무 상심 말자.

수영아.

어디 갔나 했더니 여기서 뭐 해? 결과 확인했어?
아, 응.
어떻게 됐어?

넌?
난 1차 합격했어.
아 진짜? 축하해.

난 안 됐어.
…아, 그래?
끄덕
끄덕

키득
?

괜찮아 수영아.
이거 때문에 너무
상심하지 마.
어차피
1차 합격해도
너랑 다를 거 없어.
수능은 똑같이
봐야 하니까.
뭐지?
방금 웃은 건가?
웃은 거 같은데?

그러니까 같이
수능까지 힘내자.
갸웃
…응.
아니겠지?
잘못 들었겠지?

지환아, 오늘은
나 혼자 갈게.
그래도 돼?
왜?
그냥…
오늘은 좀 그래.
기분 안 좋은데 괜히
분위기 쳐지게
할까 봐서…
그래, 그럼.
그럴 땐 빨리
집 가서 쉬어야지.

응… 그럼
먼저 갈게.
내일 보자.

탁

너한테
득이 되고
실이 되는 거,
중요하지?
주위를 둘러 봐.
너한테 진짜 필요한 게
뭔지 네가 직접 확인해
볼 수 있는 기회가
될 거야.

?
결과에 너무
연연하지 마.
인생은 고작 대학
가는 게 다가 아냐.

앞으로
이런 기회는 흔치
않을 테니까.
…….

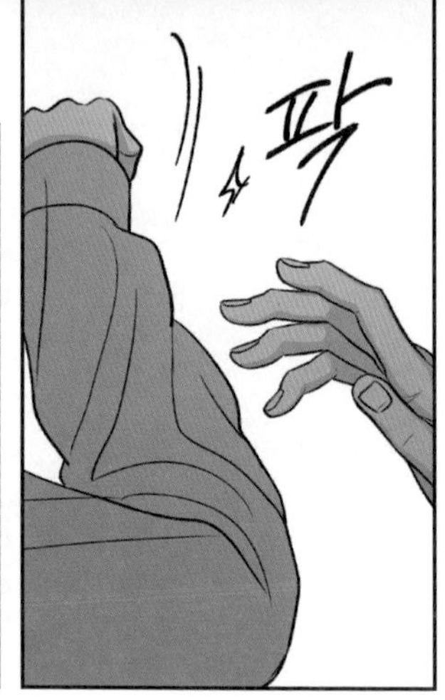
팍

…….

저벅
저벅

솔직히 좀 충격이었다.
휙
하아…
아니, 좀이 아니라 많이.

상심 안 하기로 했잖아.
나름 학생부며 내신이며 3년 내내 빡세게 관리했는데…

왜? 어떻게 그런 결과가 나왔지?
가족한텐 뭐라 말해야 되지…
내가 모르는 부족한 부분이 있었나?

근데…뭐? '고작'
대학 가는 게
다가 아냐?
고자아아악?

아니 진짜
개 킹!^%
받네@#$%
뻐엉
해줄 말이
그거밖에
없었냐!?

그으래—
지는 합격해서
모르겠지.
아까 그냥
한마디 하고 올 걸
그랬나??
심퉁..
기회니, 뭐니
그건 또 뭔 말이야?
맨날 자기 혼자 아는
소리나 하고 말이야.

…근데 뭐,
생각해보면 원래부터가
좀 싸가지 없는
놈이었지.

2주… 아니지
2주도 안 남았네.
슥
마지막까지
열심히 하자. 그래도
모의고사 점수는 잘
나오고 있으니까.

수능 끝날 때까진
태지환이랑 말
안 할 거라고. 흥.

덥석
?

어엇—
획!

쿵—
아!
두리번
뭐, 뭐야??
누구세…

임규—!
턱

스슥...

두리번

위이잉...

부우웅

프읍
흐읍

안녕.
오랜만이다.

이게 무슨…

쓱
잘 지냈어?

…….

오랜만에 인사하는데
좀 받아줘라? 붙임성
없는 건 여전…
움찔

…….
덜덜…
관악 4길
25
29
Pyungchang 4-gil

씨발…
중얼..

야, 너한테
아무 짓도 안 해.
왜 냅다 겁부터 먹고
지랄이야?
너…스,
스토킹한 거
신고할 거야.

어어— 그래.
아직 살 만은
한가 보네.
쏙

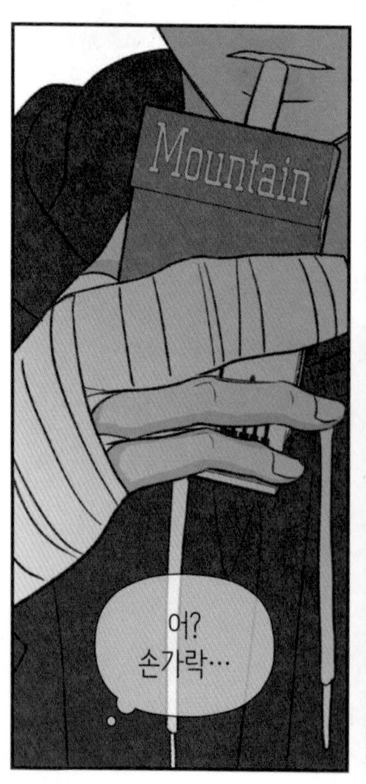
Mountain
어?
손가락…

너 아직
그 새끼랑 다니냐?
아니, 아니지.
정확하게 말하면 그 새끼가
너한테 들러붙은 거지.
거머리처럼.
누구…

후우-

누구긴.
태지환 그 씹새끼.

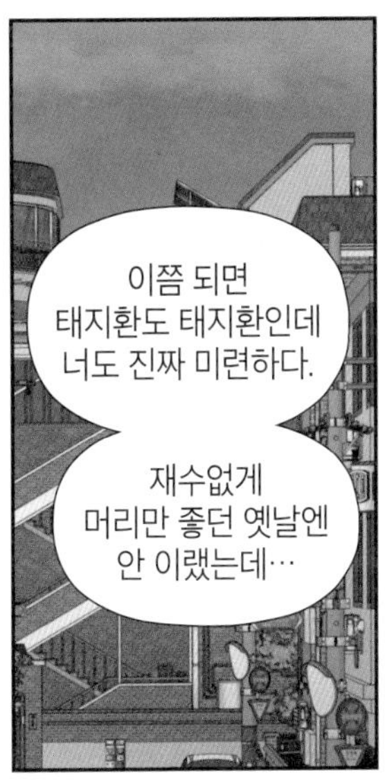
이쯤 되면
태지환도 태지환인데
너도 진짜 미련하다.
재수없게
머리만 좋던 옛날엔
안 이랬는데…

아까 봤지?
검은색 세단 하나
슬그머니 지나가는 거.
그거 태지환이 너한테
붙인 거야.
뭐?

너
감시당하고
있다고.

야,
뭔 소리야 그게?
제대로 말해봐.
…….

말 끊지 말고
똑바로 말해
보라니까?
모르는 척 순진한 척,
아무것도 모르는 양
눈알 굴리는 건
그대로네. 좆같게.
옛날에
이딴 거에 혹해서
신세 망친 내가
병신…

임규진!!
버럭

…씨발.
콰악

가학심 들게
하는 것도 여전하네.
이 새낀.
홱
놔.
건드리지 마.
아—

나도 쥐 죽은 듯이 살다가 겨우 이렇게 만났는데 열 올리지 마라 수영아.
넌 진짜 성질 좀 죽여야 돼.
…….

뭐, 예민한 거 이해는 해. 너 요즘 애들한테 무시당한다며?
…네가 그걸 왜 알아?

내가 왜 모를 거라 생각해?
나대기 좋아하는 이현우가 가만 있었을까?
이번엔 제대로 대답해봐. 그동안 별일 없었어?

그런 거 없…
…애들한테 안 좋은 소문 도는 거야 그렇다 치고,
이성현은 갑자기 날 피하더니 절교했고…
지환이도 요즘 들어 좀 이상하게 굴긴 하지만 이게 별일이라 하기엔…
없어.

척

봐. 태지환이
한 짓이야.
그 씹새끼가
손가락 아작 내버려서
다시 붙인 거야. 보여?

거짓말
하지—
어. 못 믿겠지?
넌 그 새끼
좋아하니까.

CCTV로 감시하는 것도
모자라서 네 뒤에
사람 붙이고, 학교에
이상한 소문 퍼뜨리고,
자기 욕망에 눈멀어서
네 주변 사람까지
건드렸다 해도 못 믿겠지?
좋아하니까.

…뭐? 뭐라는 거야? 네가 그걸 어떻게 알아?
신수영.
난 우리 그랬던 사이, 학교 다닐 때 한마디도 떠벌리고 다닌 적 없어.

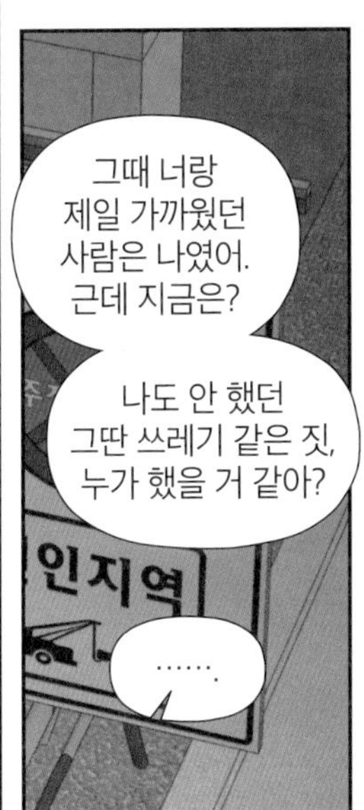
그때 너랑 제일 가까웠던 사람은 나였어. 근데 지금은?
나도 안 했던 그딴 쓰레기 같은 짓, 누가 했을 거 같아?
인지역
…….

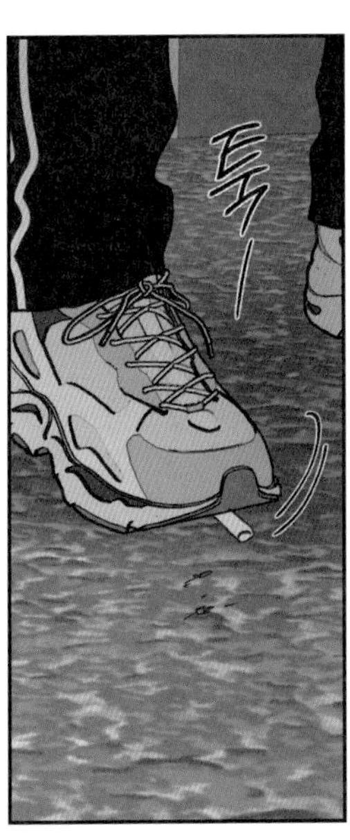
툭-

쏙
믿든 말든, 네 의시긴 한데… 그래도 난 네가 걱정된다 수영아.
소문을… 퍼뜨려?
그날 태지환한테 손가락 잘리고 병원에서 눈 뜬 순간부터 하루도 빠짐없이 네 걱정만 했어.

주춤..

…아냐,
그럴 리가…

말도
안 되잖아
그건…
까득

퍽
퍽!
씨팔—!
이렇게까지 하는데
왜 나는 안 된 건데!!
그 새끼랑 나랑 다를 게
뭐가 있다고!!

하아…
씹…

시발…
줄염..

나 다음 주에 아버지 따라 지방으로 내려간다.
혹시라도 그전에 뭔 일 생기면…
…연락해.

이, 그리고.

미안하다. 예전 일은.

3-1

드륵

탓

째깍
째깍

털컹

안녕.
응…
안녕.
수영아— 너
시계 필요 없어?

시계?
손목시계.
자, 봐봐.

내가 좋아하는 브랜드
새 모델 나왔는데
사는 김에 수영이
너랑 맞출까 해서.

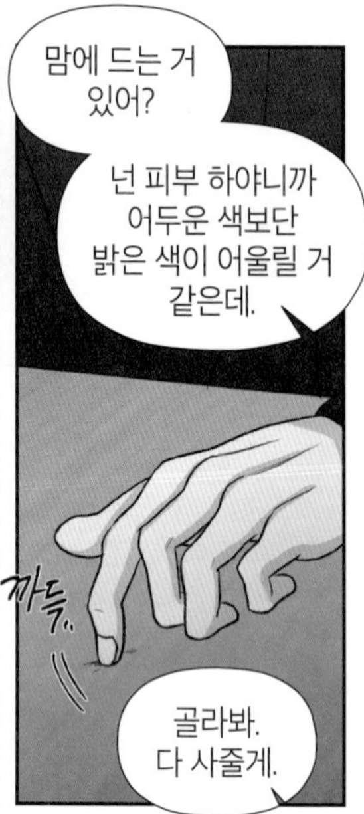
맘에 드는 거
있어?
넌 피부 하야니까
어두운 색보단
밝은 색이 어울릴 거
같은데.
까득,
골라봐.
다 사줄게.

저기, 지환아.
그… 임규진
말인데,

예전에,
손가락 그렇게
됐단 거…
사실이야?
그, 왜…
방학 시작 전에
잠깐 돌았던
소문…

쓱,,

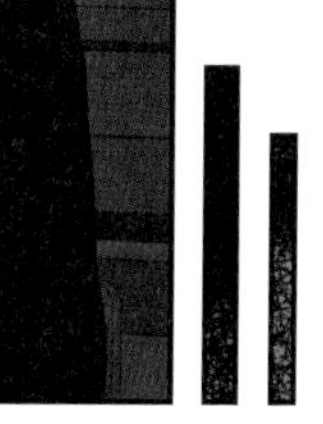

교무실

올해 한대가 유독 경쟁률이 세기도 했고…

너무 낙담하지 마.

쌤도 아쉽긴 하다만, 그래도 수영이 너 정도면 다른 곳은 골라서 갈 수 있는 거 알지?

드륵

지환이가 아니라는데…
아무리 그래도
임규진이 했던 말을
다 믿을 수도 없고.
임규진이 이현우랑
연락하고 있다 해도
내 소문을 퍼뜨린 사람이
누군지 어떻게 알아?
타닥
지환이가 이현우
시켜서 한 일이라면
모를까.
뭐… 이건
말도 안 되지.

하…
요즘 왜 이렇게
신경 써야 될 게
많아졌지.

중간에
놓쳤다는 게
말이 돼요?

일 처리
똑바로 해주세요.
걔가 갑자기 임규진
이야기를 왜 하겠어요?

스윽..
이 목소린…

어? 내 얘긴가?
누구랑 통화하는
거지?

하…됐어요.
뭐, 이건 됐고.
아버지가
학교 재단 측이랑
이야기 끝냈다고 하니
정 비서님만 시킨 대로
잘 하시면—
바스락

홱

마지막 하나 남았어요.
학생부 서류 손 봤던 거처럼만 하세요.
……
하하, 정 비서님… 주제님는 참견하지 마세요.
범죄요? 어차피 걔가 할 수 있는 건 아무것도 없어요.
어?

수영이는 나 없인
아무것도 못 하게
할 거니까.

끊어요.
그리고 앞으로
제가 먼저
연락하는 일은
없도록 해주세요.

저벅
저벅..

사각
사각

나 없인 아무것도
못 하게 할 거니까.

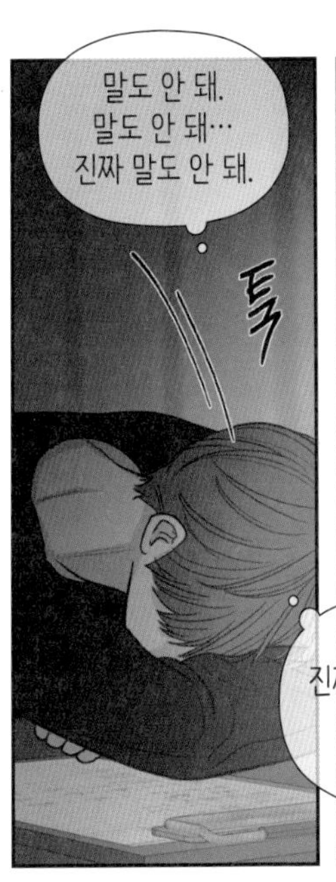

말도 안 돼.
말도 안 돼…
진짜 말도 안 돼.
툭

지환이가?
진짜 지환이가 맞나?
내가 본 게…
진짜인가?

지금 기분은
마치,
아득한 수면 아래로
가라앉고 있는
기분이다.

이대로 영영
못 일어날 것만
같은…
스윽..

주르륵

…대학
같이 가자고
했으면서.
쓱
쓱

미련하게도
그 사실을 처음 알게
됐을 때 나는,

태지환을 이해해
보려 했지만 도저히
그럴 수 없었다.

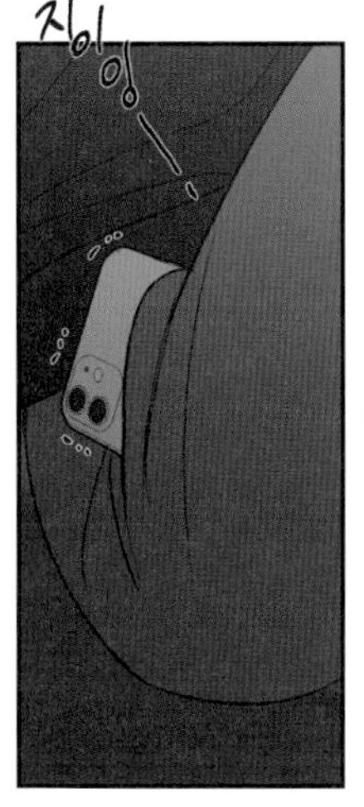
징이잉-

달칵
응 삼촌.
…….
삼촌?
여보세요?

수영아.
응, 왜요?
이 시간에 웬일이야?
일 쉬는 날?
…수영아.
누나… 아니,
네 엄마 지금
중환자실에 입원해 있다.
엊그제부터.

네?
그게 무슨…
벌떡
가게 일 보다가 갑자기 의식 잃고 쓰러졌었대.
그때 가게에 손님이 있어서 다행이지 누나 혼자 있었으면…
지금 의식은 희미하게 있는 상태인데 병원 측에서 원인은 찾는 중이라고 하더구나.
원체 몸이 허약하기도 했고… 하… 사람이 갑자기 이렇게 돼버릴 줄 알았으면 나도 어떻게…
너 수능 마칠 때까진 말 안 하려고 했는데… 그래도 알고는 있어야 할 거 같아서.
병원은 시험 끝나고 들러. 괜히 먼저 얼굴 봤다가 영향 있으면 안 되잖아. 알겠지?
…흑… 미안하다 수영아. 우리 가족이 왜 이렇게 되어야 하는지… 삼촌도 잘 모르겠다.
…미안하다… 미안해.

급훈
내려갈 팀은
내려간다.
—..
ㅡㅡ

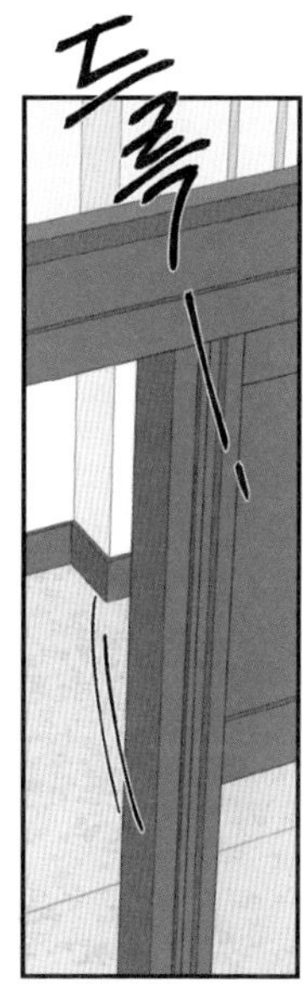
드르륵

홱

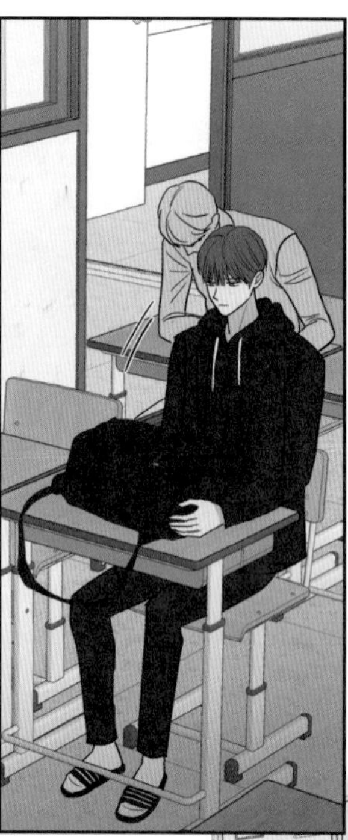

슥
안녕.
좋은 아침.
…….

홱

팍
왜 그래?
잠을 못 자서 그런가?
아니, 눈가가 발간 게…
운 거 같은데.
뭐?
아냐.

가, 갑자기
얼굴 만지지 마.

째깍,
째깍,

응. 미안해.

휙
그럼 부는 건
괜찮나?

수영아.
나 봐봐.
홱

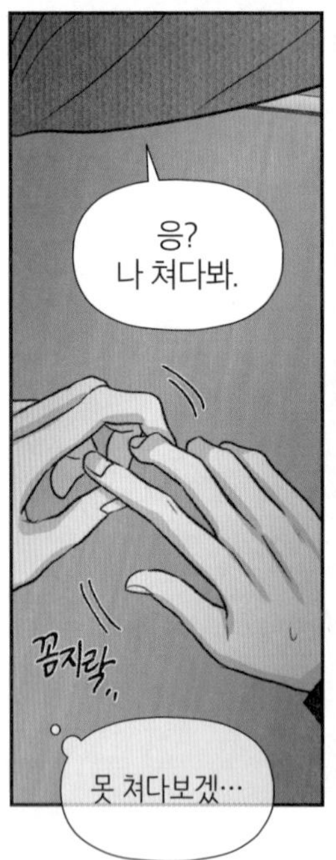
응?
나 쳐다봐.
꼼지락..
못 쳐다보겠…

신수영.

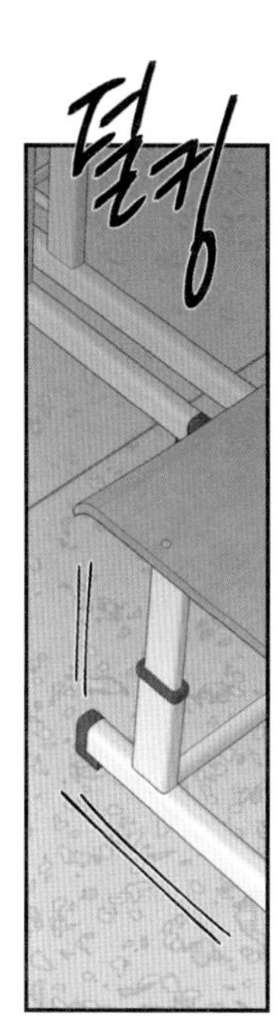
덜컹

홱

딩동
댕동

밥 먹으러 가자~
오늘 뭐 나옴?

홱

덜컹

…….
Coca-Cola

어떻게… 그렇게 눈도 깜박 안 하고 뻔뻔할 수 있지?
자기가 한 짓이 무슨 문제인지 알고 있기는 한가?

아까 얼굴을 마주했을 때, 대충 예상은 했었다.
화를 낼 수도 없었고 그렇다고 제대로 따져볼 생각은 하지도 못했다.

중얼..
'나 없인
아무것도 못 하게
할 거니까.'

난 이제
뭘 어떻게 해야
되는 거지.

탓

왜 먼저 가?
점심 같이
안 먹고.

너, 오늘 이상하다.
왜 그러는데? 나한테
말 못 할 일이라도 있어?
…….

홱
아, 아냐.
그런 거 없…
기다려.
아니긴 뭘?

이거 봐.
또 이러잖아.
내 말이
틀렸어?

콰악..
아아-

내가 도와줄게
수영아.
잠깐, 일단
이거 좀 놓고…

갑자기
왜 이러는 거지?
내가 모르는 건
없어야 되는데.

여태껏
그랬던 것처럼
나한테 말해 수영아.
내가 다 해결해
줄 수 있어.
네가 원하는 거
전부 다.

…이거 놔.
수영아.

놓으라니까!!
팍!

너. 태지환 너,
앞으로 나한테
말 걸 생각하지 마.

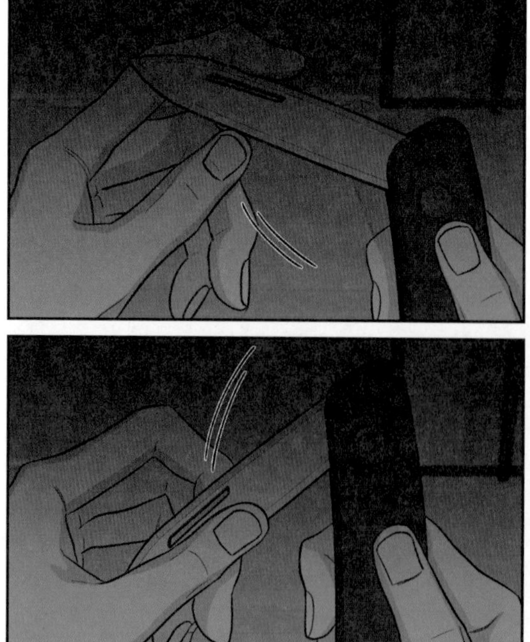

뭐?

앞으로 말 걸
생각하지 마?

…….
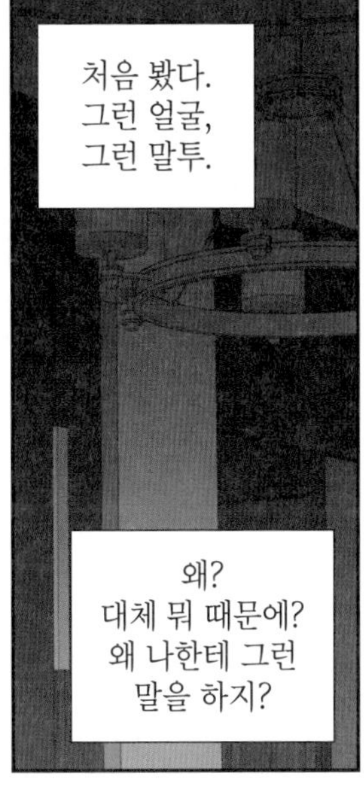
처음 봤다.
그런 얼굴,
그런 말투.
왜?
대체 뭐 때문에?
왜 나한테 그런
말을 하지?

아무리
생각해도
모르겠다.
익숙하지 않아.
네 그런 태도는.
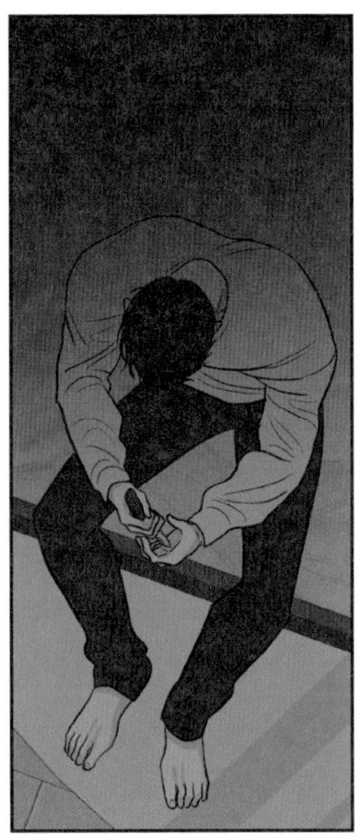

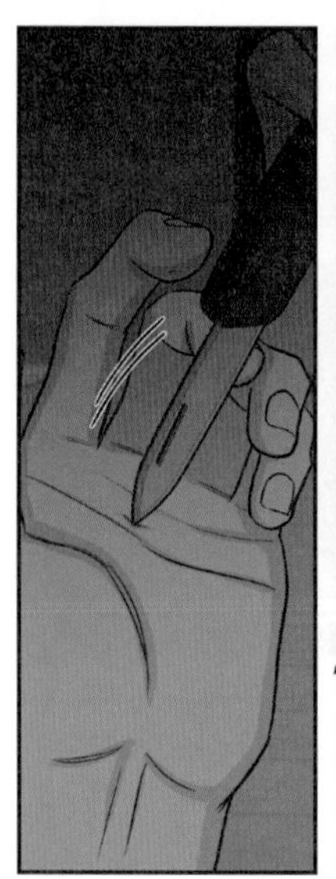

주르륵

신수영…
신수영…

드륵

탁

안녕.
벌떡

홱

…….

웅성
웅성

달그락

슥

휙
수영아. 우리
애기 좀 해.

왜 이러는지 이유는
말해줘야 할 거 아냐?
그래야 나도 무슨
말이라도 하지. 응?

수영…
야.

너 말귀
못 알아들어? 나한테
말 걸지 말랬지?
무슨 말?
그런 거 할 필요 없어.
그냥 이대로 끝내.
난 너한테
해줄 말
없으니까.

홱

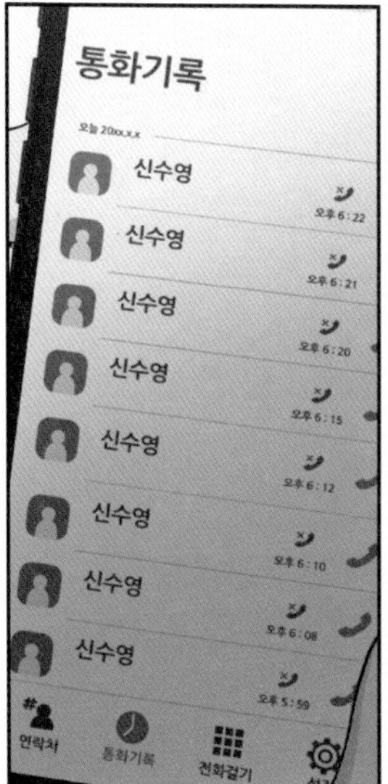

신수영이 날
피하는 이유.

내가
알지 못하는 것.
또는 내가 놓친 것.

이대로 끝내.

하…씨발…

쨍그랑
씨발!!!!

도, 도련님!
무슨 일…
덜컥

세상에, 손에 피가…!
괜찮으세요?

아니, 수영아.
안 돼.
지혈할 기
가져올게요. 조금만
기다리세요!
그건 네 맘대로
할 수 있는 게
아니야.

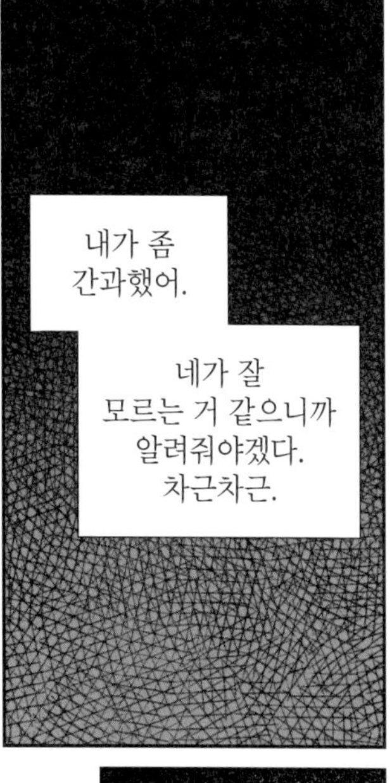
내가 좀
간과했어.
네가 잘
모르는 거 같으니까
알려줘야겠다.
차근차근.

딩동
댕동
3-1
자— 다들 자리에 앉아라. 오늘 나눠줄 답안지 있으니까.

…아, 내 정신 좀 봐. 파일 가져오는 거 깜박했네. 오늘 당번 누구지?
전데요.

그래, 수영아. 동아리실에 기출문제 넣어둔 박스 있거든? 네가 좀 가져와라.
네.

달칵

기출문제 박스… 이건가.

달칵

도와줄게. 같이 들고 가자.
…….

줘, 내가 들게.
아, 됐어.

이제 그쯤 하지? 내가 뭐 너한테 잘못한 거 있어?

갑자기 이러는 거 나도 좀 당황스러워.
이유라도 알려주면 모르겠는데 언제까지 이럴 거야?
…….

이렇게 피하기만 해서
해결될 문제라 생각해?
너, 내 기분이 어떨지
생각은 해봤어?
콱
너한테
영문도 모른 채
무시당하는 기분.

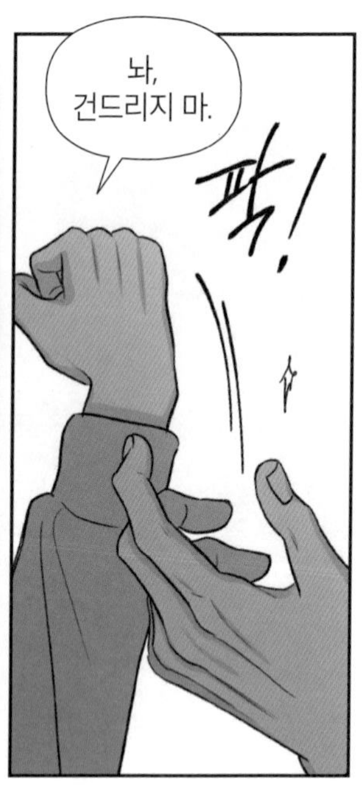
놔,
건드리지 마.
팍!

듣고 있으니까
진짜 어이가 없다.
너. 어떻게 이렇게
뻔뻔할 수가 있지?
뭘…
다 알고 있어.
네가 내 생기부
건드린 거.

처음엔 네가 왜
그런 짓을 했나 이해해
보려고도 했어. 근데…
아무리 생각해도
난 모르겠더라.
내가 그동안
알고 있던 애가
맞나 싶기도 하고.

앞에선 멀쩡한 척,
뒤에서 사람 갖고
노니까 재밌었겠다?
고분고분, 그동안
네가 하자는 대로 다
해주는 내가 얼마나
우스웠을까? 그치?

난 그것도 모르고
등신같이 네가 내
제일 친한 친구라고
생각했고. 응?
…….

그게
얼마나…
하―
난 또 뭐라고.
…뭐?

난 다른 이유라도
있는 줄 알았는데 고작
그거 때문이었어?
……?
수영아. 그건 다
널 위해서야.

대학…친구…
이런 보잘 것 없는 것들이
앞으로 네 인생에
중요할 거라 생각해?
무슨 소리야?
너 미쳤어?

내가 그동안
널 위해서 얼마나
많은 것들을 해줬는지
기억해봐.
넌 똑똑한 애잖아.
자기 잇속 챙기는 건
누구보다 잘하는 애면서
왜 이건 몰라?

왜지? 왜 이렇게
내 맘을 몰라주는 거지?
이건 내가 생각한
결과가 아냐!
덥석
수영아, 넌 좀 더
냉정해질 필요가
있어.
내가 얼마나 널
생각하고 있는지
자각할 필요가—
짜악!!

보자보자 하니까
이 미친 새끼가.

제정신이야?!
넌 그걸 말이라고 입
밖으로 꺼내는 거야?
내 앞에서?

네 맘을 왜
몰라 주냐고?
네가
정신 나간 짓을 하는
거랑 내가 대학 가는 건
그럼, 도대체
무슨 상관인데!

그냥
내가 처음부터
너랑… 윽,
신수영!
너 진짜 이럴 거야?
이런 식으로 나올래?

이게
어려워?
그냥 내가
시키는 대로만 하면
된다는데, 그럼 아무
문제없을 거라는데 왜
이렇게 고집 부려?
네가 할 수
있는 게 뭐가 있는데?
뭐, 얄팍한 자존심 지켜서
네가 얻을 수 있는 게
뭐가 있는데!

멈칫

아…

신수영- 너 왜
빨리 안 오냐고 쌤이…
응?
달칵

휙

CLUB ROOM
쿵

EPISODE 12

모호함의 언저리

20XX학년도 대학수학능력시험
서울특별시교육청 제 X시험지구

선배님들 파이팅!
찍어도 정답
수능대박

수험번호 확인했지? 잊은 거 없고?
응

20XX학년도 대학수학능력시험
별시교육청 제 X시험지구 제 X시험장

춥다…
4 시험장
교시
시험 영역
시작 시각
종료 시각
시험 시간
(소요 시간
1교시
국어
08:40
10:00
80분
2교시
수학
10:30
12:10
100분
점심
12:10
13:00
50분
3교시
영어
13:10
14:20
70분
(듣기 25분
4교시
한국사, 탐구
14:50
16:32
5교시
제2외국어/한문
17:00
17:40
40분

성 명 신수영
과목명 국어
과목 코드
문항

째깍..
째깍..

XX학년도 대학수학능력시험
육청 제 X시험지구 제 X시험장

아들~고생했다.
외식하러 가자.
먹고 싶은 거 있음
말만 해.

엄마, 나 걍 오늘은
친구들이랑 놀면 안 돼?
외식은 담에 하고…
수능은
무사히 끝났다.

문제도
어려운 건 없었고
평소 하던 대로
하니까 생각보다
긴장할 것도 없었다.
끝나고 나니까
눈 오네…

643
8541
9-3
5524
벌써
고3도 끝인가.
시간 되게 빨리
갔네.

10

절약하는 당신이 원전 하나

부웅~

5524

수능이 끝나고 동시에
학교는 예상대로
어수선한 분위기가 됐다.
수시 합격해서
출석만 했다가 몰래
째는 애들도 있고,
수능 망했다고 아예
학교에 안 나오는
애들도 있고,

또는 나처럼
방학식만 기다리면서
어수선한 교실에
머릿수만 채우는
애들만 남아 있다.

영화
뭐 볼래?
야한 거~
야한 거~

스윽..
그리고, 동아리실에서
있었던 일 이후로 지금까지
태지환이랑은 말 한마디
섞지 않았다.

나야 원래부터
무시했으니
그렇다 치는데
태지환은…
말만 안 걸 뿐이지
저런 식으로 사람
불편하게 만드는 건
예전이랑 다를 게 없다.

흘긋

언제까지
쳐다볼 건데…?
저러고 있으면
내가 먼저 말이라도
걸어줄까 봐?

…짜증나.
덜컹

25 관악 4길 29
Pyungchang 4-gil

…….

네가 쓰다듬어줘.
아픈 거 다
사라질 때까지.
옛날부터
너랑 친해지고
싶었거든.

너 없인 아무것도
못 한다고? 내가?
대학 못 가면 뭐,
무릎이라도 꿇고
빌 줄 알았나?
coucang

난 네 뜻대로
안 해. 그렇게 해줄
생각도 없고.
왜지? 태지환이 왜
그런 짓을 한 건지,
의도한 바가 뭔지
전혀 모르겠지만…
저벅
저벅

하아…
우뚝
견인지역

기분이
이상하다.
잘못한 건
태지환이 맞는데,
그게 사실인데
왜 내 마음은….

심성병원
SIMSUNG HOSPITAL

끼익
안내도

저…
무슨 일로…
아, 보호자분
되세요?
네.

통증 때문에
완화제 놔드렸어요.
오늘 하루 동안은
괜찮을 거니까
다음 진료시간까지
깨지 않게 잘
봐주세요.

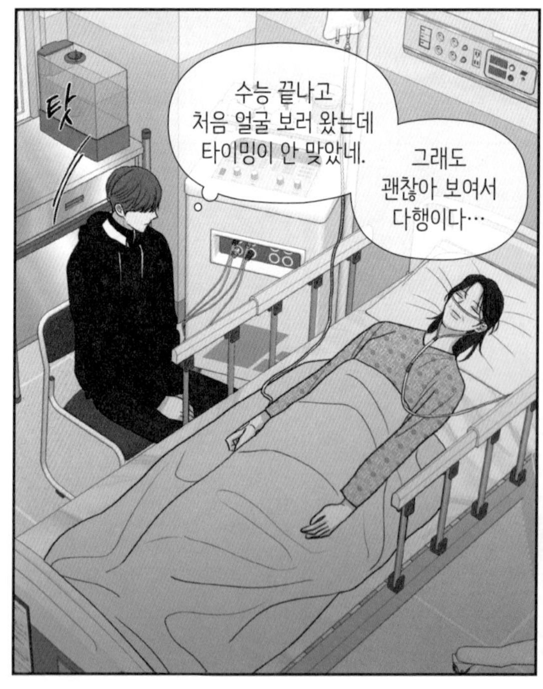
탁
수능 끝나고
처음 얼굴 보러 왔는데
타이밍이 안 맞았네.
그래도
괜찮아 보여서
다행이다…

삐빅

삐빅-
삐빅-
어제 시험 끝났어. 생각보다 어려운 건 없더라. 잘한 거 같아.
툭
이제 겨울 방학도 곧이고… 고3도 끝이네. 졸업하기 전에 합격 통지서 보여줄게.
대학생 되면… 제일 먼저 일부터 구할 거야.
엄마 병원비랑… 삼촌 어깨도 좀 덜어주고, 생활비도 이젠 내가 벌어야지.
째깍..
째깍..
비상 대피
그러니까 엄마도 아프지 마. 맨날 나 걱정만 시키고…

달칵

아니,
수영아…!

온다면 온다고 말을 해야지! 세상에, 얼굴 오랜만에 보네. 잘 지냈어?
응. 이제 시험도 끝나서 시간도 널널하고… 학교 마치면 병원 자주 올 거예요.

아, 그렇지. 시험 끝났지?
미안하다… 시험장 갈 때 배웅도 못 해주고. 요즘 밤낮으로 바빠서…
괜찮아요.

시험은 잘 봤어?
…….
덜덜
그래, 그렇다니 정말 다행이구나…
…….

삼촌은? 그동안 별일 없었어요?
왜 이렇게 수척해 보여. 손은 왜 이렇게 떨어요?

그게 말이다. 사실은…

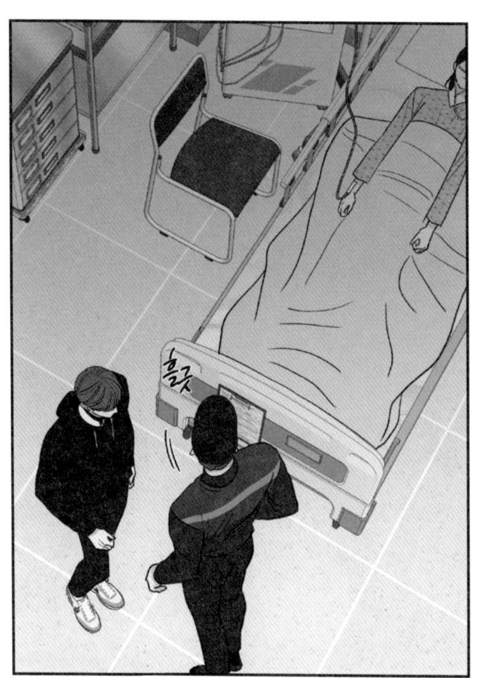
흘긋

삐빅
나가서 이야기할까?
삐빅

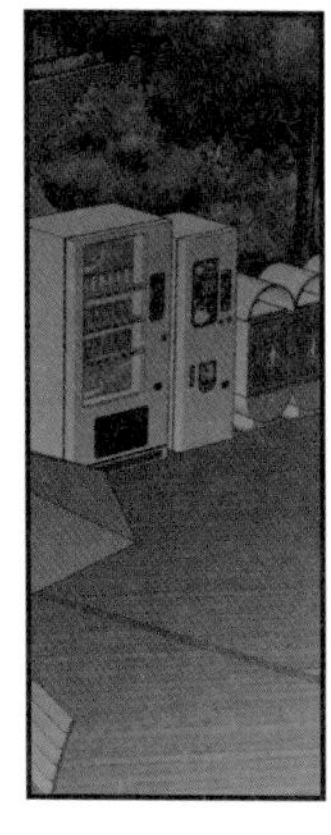

어디서부터 말해야 될지 모르겠다만…
수영이 너도 알고는 있지? 삼촌 명의로 작게 자재운반 사업 하고 있던 거.
네. 지인 분들 모아서 운영 하시던 거요?

저 고등학교 입학할 때쯤 한창 그거 때문에 바쁘셨잖아요.
끄덕
끄덕

…얼마 전에 부도나서 사업장 철수했다.
움찔

네? 그게 무슨…
갑자기 왜 이렇게 된 건지 삼촌도… 모르겠다.
작은 사업이라도 열심히 꾸려가고 있었는데 아무리 사람 앞일은 모르는 거라지만…

빚은 빚대로 지고 사람도 잃고, 나도 참… 정말…
수영이 너나 우리 가족을 위해서 뭐라도 해보려고 시작했던 건데 말이다…

하… 아니다, 아니야. 그래도 네 엄마는 걱정 마.
누나 나을 때까지 병원비는 어떻게든 해결할 테니까.
…!

이거 참, 칠칠맞게 어른이 울기나 하고… 미안하다.
앞으로 어떻게든 방법은 찾을 테니까 너무 걱정하지 마. 얘기 들어줘서 고맙다.

저는요? 제가 도울 방법은 없어요? 저는 뭘 하면…
됐다 수영아. 너한테까지 도움 받자고 한 말은 아니니 나서지 말어.
그래도 고맙다. 그렇게 말해주는 것만으로도 위로가 되는구나.

삑
삑

삐빅

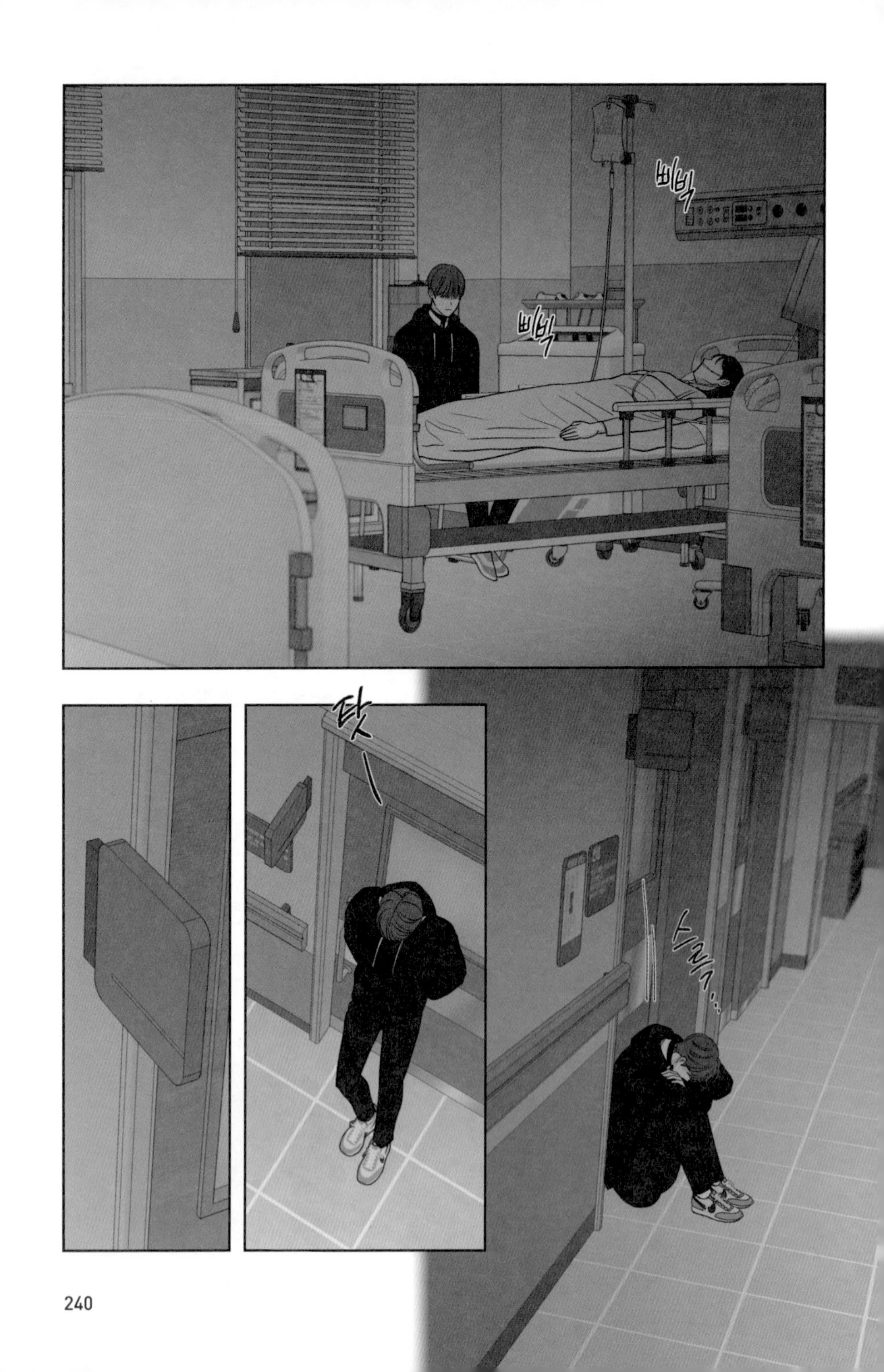

삐빅
삐빅
탁—
스르르...

훌쩍
그럴 리가.
아니겠지.

태지환이 한 짓일까?
…아냐, 이건 우리랑
관계없잖아.
배신당한 실망감
속에 커져만 가는
의심 덩어리.

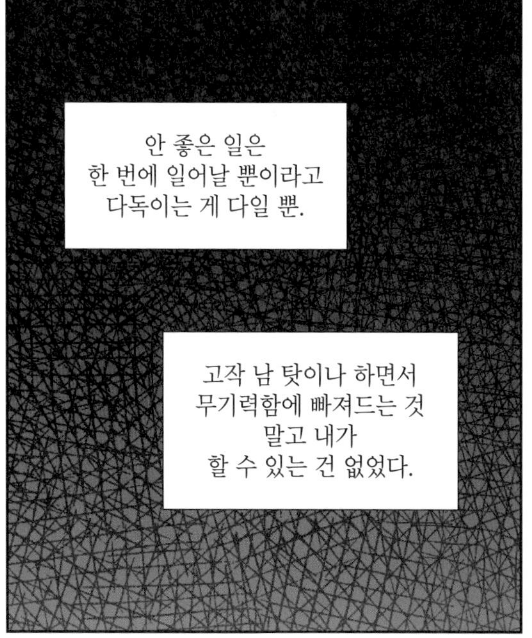
안 좋은 일은
한 번에 일어날 뿐이라고
다독이는 게 다일 뿐.
고작 남 탓이나 하면서
무기력함에 빠져드는 것
말고 내가
할 수 있는 건 없었다.

달칵

저벅

틀어졌어요.
계획이.
틀어졌다니?

이전에 제가
부탁드린 거.
그냥 물러주세요.
카득
왜, 그 친구가
알게 되기라도
한 거니?
…….
허점투성이구나.

허점이요?
제가요? 아뇨,
아시잖아요.
학생부 건드린 거,
애초에 숨길 생각도
없었던 거요. 근데…
근데?

걘 지금 중요한 게
뭔지 전혀 몰라요.
내가 하나부터 열까지
다 해주겠다는데,
쾅!!
당장 자기
자존심만 지키려고
고작 대학, 그딴 거
하나 때문에 이렇게 된
게 어처구니가…!

……․

내가 충고했을 텐데.
계획대로 하고 싶다면
네 그 성질머리는
끝까지 숨기라고.
내가 보기엔
정작 요점을
놓치고 있는 건
너 같구나.

그 친구라면
어떻게든 널 처리할 수
있을 줄 알았는데…
아무래도 글렀나 보군.
……․

아버지. 아버지가
그렇게 말씀하실
자격은 있으세요?
전 제가 자라면서
봐왔던 것들을
답습했을 뿐인데요?

아버지가
어머니를 사랑했던
방식처럼요.

어머닌 아버질 사랑했던 적이 있어요?
단 한 순간이라도?

우린 서로 사랑했어. 다만, 내가 좀 더 사랑했지.
넌 모르겠지만 네 엄마도 과거엔 정상이었어.
우리가 함께하는 시간이 가장 행복하고 즐겁다고 한 적이 있을 정도로.

그게 지금 이 결과예요? 손목 긋고 자살한 거?

…….

홱

전 아버지처럼
그런 꼴 나게
안 해요.

…그래. 잘 해봐라.
결과가 어떻게 될지
한 번 지켜보자고.
키득

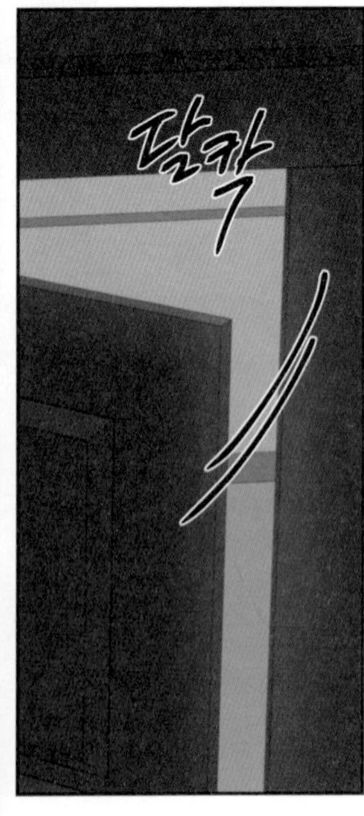
달칵

부들
부들

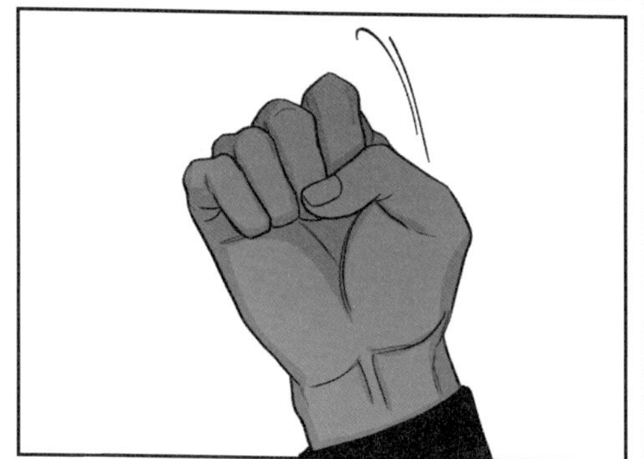

씨발…

벌써 12월.

마지막 방학이다.
자, 그럼 겨울방학 잘 보내고. 지원한 대학 다들 무사히 합격하길 바란다.
고3도 이젠 끝이다.

예술인 양성
대상수상학교
슥
8 9 10
15 16 17
22 23 24
30 31
이틀…
이틀만 지나면
이제 스무 살인가?

…….
긁적
뭔가
되게 이상하네.
기분이…

야~ 신수영!
어디 가냐?
이따 밤에
애들끼리 모여서
모텔에서 술 깔 건데
너도 와라.
불쑥!
술? 뭔…
벌써 술이야.

우리 민증도 나왔고
이제 성인이라고~
성인은 무슨…
나 바빠.

그리고 너
아직 술 못 마셔.
걸리면 어떡하게?
아~
팍팍하게 구네.

홱
겨울방학 땐
뭘 할까.

아, 그렇지.
우선 알바부터
구해야겠다.
그러다 보면
시간은 빨리
지나가겠지.
안 좋은 일들도,
생각하고 싶지
않은 사람도.
어서 머릿속에서
잊혀졌으면
좋겠다.

웅성
웅성

쨍
으랑

비상 대피 안내도

수영아,
분리수거 할 것 좀
밖에 내놓고 와줄래?
네.

읏차…

휴…여긴
새벽에도 손님이
왜 이렇게 많아?
야간 수당
더 쳐줘야 하는
거 아닌가?
야—
신수영.

일은
할 만하냐?
송태희?
너 뭐야?
근처에서
술 먹고 있다가
네 생각나서 잠깐~

가게 장사
잘 되나 보네.
안 빡세냐?
빡세도 어떡해.
해야지.
눈치껏
쉬엄쉬엄하면서 해.
너 그러다 골병 나.

자!

뭐야?
피로회복제. 오다가
편의점에서 사온 거.
이거라도 마시고 해.
…어, 땡큐.

그럼 간다.
애들 기다리고
있어서.
나중에
또 놀러올게.
빠ㅇ~
툭털
다음에 올 땐
미리 말이라도 해.

비타600
…피로회복제가
아니라 그냥
음료수잖아?

타탁
타탁
2
日 SUN
月 MON
火 TUE
水 WED
木 THU
金 FRI
土 SAT
1 2 3 4
5 6 7 8 9 10 11
12 13 14 15 16 17 18

몇 시에
발표라고?
송태희
두 시.
소리끔
키패드
스피커
통화추가
5분 남았네.

하~ 야,
이게 뭐라고 괜히
내가 떨리냐?
으…
홈페이지
렉 걸려.

그러니까 내가
미리 들어가 있으랬지?
근데 너 어디 넣었댔냐?
경제학과.
타닥
흐응~

…….

두근,,
두근,,
으으…
너무 떨려…
심장 아파.
지금은?
새로고침 해봐.

떴어?
부빗
아직.

아직 1분
남았어.

와~ 이제 신수영 대학생 되면 너네 학교 놀러 가야겠다.
한대 근처에 우리 아부지 레스토랑 있는 거 아냐?
끄응…
지금 당장은 아니고 일은 나아~중에 늦게 시작할 거거덩.
그전에 너 데리고 한번 구경시켜 줄게ㅋㅋ

타닥

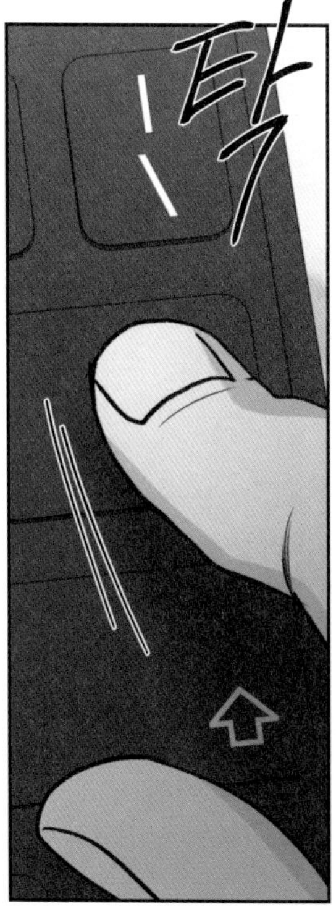
탁

어, 야! 시간 됐다. 빨리 확인해봐.
송태희
소리끔
키패드
스피커
통화추가
Face time
연락처

어케 됨?
어케 됨?
됐어?
붙었어?

야, 뭐 해?
확인했어?
신수영?

…….

…수영아?

다행이다.
다행이다.
끝났어.
나 합격했어.
이제 다 끝났어.

덜컹
107

이번 달 전기세는
좀 덜 나왔네.

그러고 보니
이 집 계약도 이제
한 달쯤 남았나?
달칵
슬슬 이사 갈 곳
찾아야겠다.

짐은 별로 없으니까
이사 비용은 최대한
아낄 수 있을 테고…
음…지금 통장에서
등록금 빼고 엄마
병원비랑 식비, 남은
공과금도 빼면…

[EZ]3:25
1234-5678-91
잔액 833,510
남은 돈으로
학교 근처는
무리겠지?
[Web 발신]
[EZ]3:25
1234-5678-910
85,000
스마트폰 출금
잔액 748,510
버스 타고
통학한다 치면
교통비도 만만찮게
들 텐데.

…….
1학기는…
휴학할까?
엄마 퇴원하고
삼촌 일 정리된 후에
다니는 게…

하—
모르겠다.
털썩

연락처
내 정보
신수영
조해민
이영원
태지환
차동하
강산호
김규선

연락처 공유
즐겨찾기에 추가
톡
긴급 연락처에 추가
발신자 차단
목록에 추가
즐겨찾기
최근 통화

목록에 있는 사용자로부터 전화, 메시지 또
ceTime
받을 수 없게 됩니다.
멈칫
연락처 차단
취소
…….

홱

스무 살이 되면
어떤 기분일까?
…라고 막연하게
생각했던 적이 있는데
막상 되고 보니
별거 없는 거 같다.
근데 태지환은
지금 뭘 하고
있을까?

연락 안 한 지
벌써 두 달이 넘었고,
먼저 연락이 오거나
그런 적은 없다.
CCTV…
나 이사 가면
저건 어떻게 하지.

만져볼래?

귀
빨개졌네.

…….
우리는…
서로 좋아했던 게
맞나?

야~ 신수영.
집에 있냐?
쿵쿵

나야.
문 열어—
슥..
이 목소린…

송태희?
뭐야 갑자기
연락도 없이…
달칵
친구 집 오는데
뭔 새삼스럽게
연락이야!
대학 합격 축하
기념 치킨 사왔다~
찐 선물은 나중에 줄게.
일단 오늘은
먹고 놀자ㅋㅋ

들어간다?
야, 야 잠깐만!
청소도 안 했는데
막무가내로
들어오면…
뭐 어때~
난 그런 거
신경 안 써.

야, 잠깐.
기다려봐.
내가 나갈게.
뭐?
탓

왜? 집에
안 있고?
이왕 이렇게
된 거 그냥 밖에
나가서 놀아.

어? 뭐 나야
상관없는데…
지이잉…

투덕,,
뭐야, 재미없게.
어디 재밌는 데라도
데려가는 줄 알았더니.
휴…

왜 왔어?
용건만 빨리 말해.
탁
왜긴
축하해주러
왔다니까?
넌 나이
하나 더 먹고도
사교성 없는 건
여전하다?
지가 말도 없이
찾아와 놓곤…

그래 뭐, 이건
사실 핑계고 할 거
없고 심심해서~
형 누나들,
친구들 전부 요즘
알바한다고 바빠서
안 놀아주니까.

개강은
언제야?
3월 5일.
진짜?
얼마 안 남았네.
신입생 오티?
뭐 그런 거
있지 않나?
난 안 가.
그날 알바 있어서.

아까 cctv…
봤을까? 내가 송태희
데리고 나가는 거.
아냐 설마,
하루 종일 보고
있진 않겠지.

수영이 넌
대학 가면 인기
많을 거 같다.
응?

고3 때야
그렇다 치는데 이젠
대학생이잖아.
걔네들이
공부만 하겠어?
넌 내가 장담하는데
진짜 술자리 많이
불려나갈 상이다.
근데 난 술
안 좋아하는데…
하하하~

그러다
여자친구도 사귀는
거고~ 이런 거
저런 거도 하고~
연애?
어…잠깐,
신수영이 연애를?
되게 상상 안 가네.

여친은 무슨…
관심 없어.
그런 건 생각도
해본 적 없고.

너 근데
뭔 일 있냐?
아까부터 분위기
축 처지네.
어, 응?
그래 보였어?
째릿

그냥… 곧 이사도 해야 되는데 여윳돈도 부족하고 이대로 학교 다녀도 되나 여러모로 신경 쓸 게 많아서.
안 그래도 1학기는 휴학할까 생각 중이거든.
이사하려고? 어디로?
모르겠어. 아직 정해진 것도 없고.

그럼 나랑 같이 살래?

어?
안 그래도 나도 곧 자취 시작할 거라서. 아마 담달부터?

월세는 어차피 아빠 건물이라 필요 없고.
식비도 딱히, 매일 음식 해주는 아주머니 계시거든.
음, 말은 고마운데 너무 갑작스러워서…
당장 결정 안 해도 돼.

방 두 개 있는데
하나는 너 줄게. 원래
나 누구랑 같이 사는 거
싫어하는데 친구 좋다는 게
이럴 때 아니겠냐?
생각해보고
결정하면 말해줘.
응.
학교도 합격했는데
얼굴 좀 펴고 살아.
기분 좋으면 좋은 대로
즐겨야지.
…마워.
엉?
고마워.
신경 써줘서.
덕분에
힘이 좀 나네.
…….
생긋
그리고
미안해.
…뭐가?
예전에
이성현 일 때문에
너한테까지
화낸 거.
됐어,
신경 쓰지 마. 그땐
무슨 상황인지 잘
몰랐으니까 나도.

그래도 다행이다. 남아 있는 친구가 있어서.
남아 있는 친구?

아, 그러고 보니 요즘 신수영 주변에
그렇게 거머리같이 붙어 있던 태지환이 안 보이네.
걔랑 연락 안 하나?

…….

흠.

고마워.
잘 먹었다. 다음엔
내가 사줄게.
엉 그래라~
그럼
나중에 또 봐.
…
저렇게 고분고분하니까
평소랑 좀 달라 보이네.
진짜 신기한 놈이야.
궁금하네.
태지환이랑 무슨 일
있었는지… 아까
물어볼 걸 그랬나?
저벅
저벅
예전에 신수영이랑
좀만 말하고 있어도
태지환이 ㅈㄴ 째려봤는데.
그거 땜에 그런가?
하긴… 그건
진짜 좀 그랬지.
무슨 자기 혼자 독차지
하려는 것 마냥.

둘이 항상
분위기 이상해서
그런 건 아닌가 했는데.
…전부터 그런 생각은
하고 있었지만.
저벅..
저벅..

끄응~ 모르겠다.
어차피 내가 상관할
바는 아니니까 뭐…
쏙

헉; 내 폰;;;
콰직

아~
액정 많이
나갔…
콱

콰득,,

?

BAR

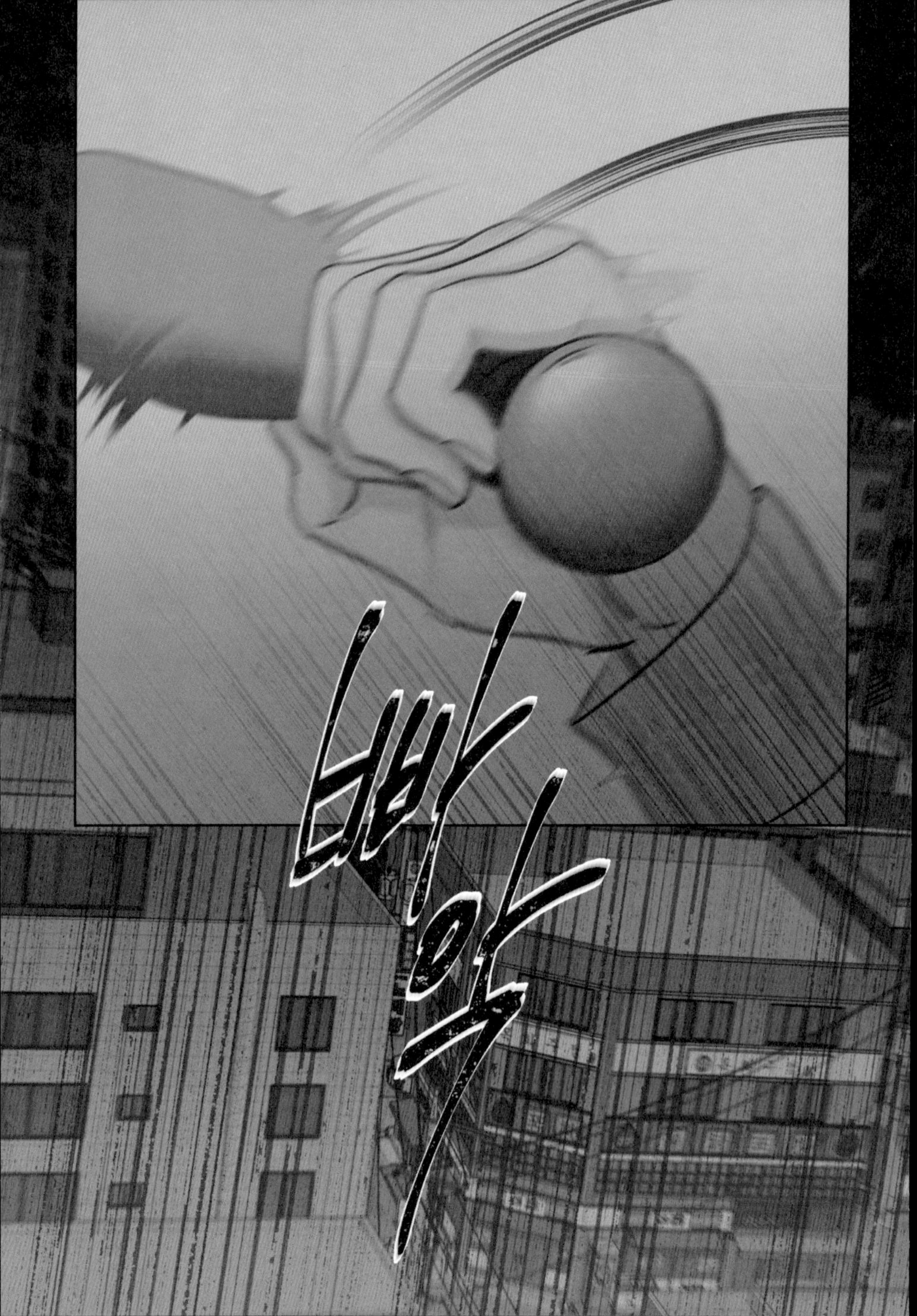
빠악

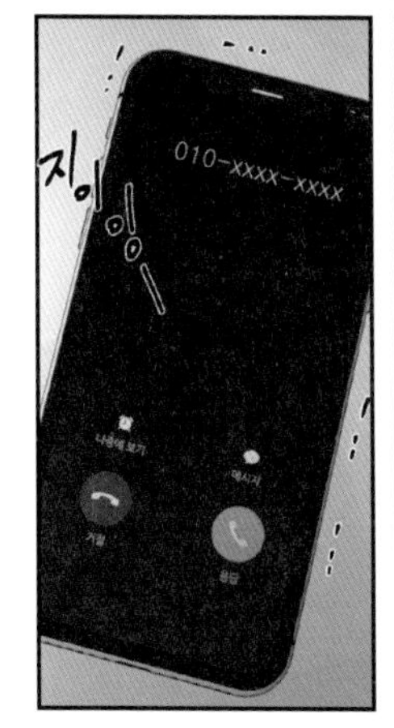

지이잉—
010-XXXX-XXXX

으음…
더듬

딸칵
여보세요…
신수영 씨
휴대폰 맞나요?
네,
누구시죠?
서울강남서
형사과입니다. 지금
XX병원으로 오실 수
있나요?

벌떡
네? 경찰…
병원이요?
갑자기 무슨…
송태희 군
특수상해 사건
용의자 조사 협조 좀
해주셔야겠습니다.
방문하실
병실은 B관 3층
305호—…
뭐라고?

심성병원
SIMSUNG HOSPITAL

덜컹!
태희야!
너 무슨…!

아…

신수영 씨인가요? 어제 송태희 군이랑 마지막으로 헤어질 때 두 분이서 같이 있으셨죠?
…네.
그 시간에 뭐 하고 계셨나요?
그냥 저녁밥 먹고 헤어졌는데…

저기, 무슨 일이에요? 태희한테…
퍽치기요. 둔기로 머리 옆을 가격당하고 바로 기절했어요.
이상하게 그 외에 폭행의 흔적은 없는데 귀중품이 사라진 것도 아니고,
그걸 노리고 범행을 저질렀다기엔 상당히 수상쩍은 부분이 있어요.

단순 기습 폭행이라면 원한에 의한―…
…….

…….
까득..
슥,,
딸칵
응, 수영아.
또로로.. 또로로..
너 어디야.

탁..

오랜만이다.
잘 지냈어?

…왜 그랬어?

간만에 만난 태지환은
이상한 느낌이 들었다.

그냥…
다른 사람
같았다.
무슨 생각으로
그런 거야?
너 미쳤어?

왜
이러지?
홱

겁이
나는 건가?
태지환이
무서운 건가?
덜덜

왜 이제 왔어?
여태까지
기다리게 하고.
그동안 어떻게
지냈는지 궁금하다.
무슨 일 있었는지
얘기 좀 해줘.
가까이
오지 마!

…….

난 계속 기다렸어.
네가 마음
정리할 때까지.
결국은 나한테
다시 올 거
알았으니까.
다시 오다니
뭘…

…너 설마 내가
뭐 때문에 너
찾은 건지 몰라?
알아. 나
보고 싶었던
거잖아.

…??
너 대학 합격 할 때까지 기다리고 있던 거였어.
연락이 늦어지면 먼저 찾아갈까 생각도 했지만.

네가 그땐 싫다고 했으니까 나도 어쩔 수 없었어. 그래서 그 이후엔—
—
—
…….

도무지 이해할 수 없는 말만 늘어놓는다.
—
—
원래 이렇게 말이 안 통하는 애였나?

우리 약속했잖아. 졸업하면 같이 살기로.
무슨 소리야? 그런 약속 한 적 없는데?

…수영아. 지금 문제가 뭔지 알아?
넌 쉬운 문제를 어렵게 만들고 있어.
애초에 이렇게까지 끌 필요도 없는 거였는데 네가 이렇게 만들고 있잖아. 응?

뭐…?
이게 지금 내 탓이라는 거야?
…….

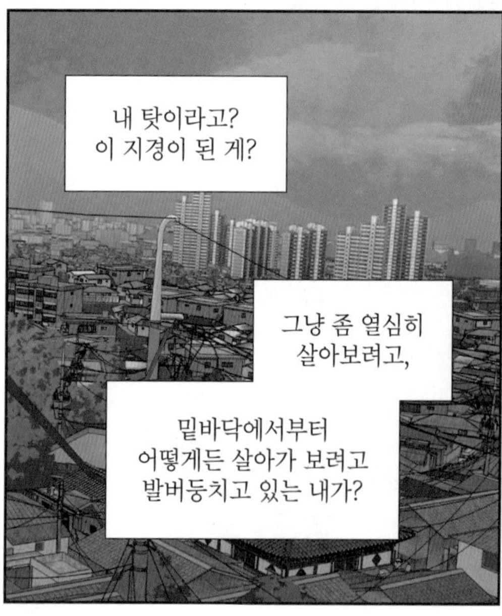
내 탓이라고? 이 지경이 된 게?
그냥 좀 열심히 살아보려고,
밑바닥에서부터 어떻게든 살아가 보려고 발버둥치고 있는 내가?

좆같은 소리 하지 좀 마.
엉망진창이다.

넌 애가
왜 그래?
예전부터
네 좆대로 생각하고,
네 좆대로 결정짓고.
진짜 짜증나게
씨발…

내가 너랑
같이 산다고?
미쳤어?! 지금 우리
상황을 보고 말이 되는
소리를 해!
버럭
무슨
말인지 모르겠어?!
난 이제 네가
싫어!!
싫어한다고?
그런가? 나는
이제 지환이를…

이젠
네 생각만 하면
짜증나고 가슴이
답답해!
머릿속이
엉망이 되는 거
같아…

이런 말 해도
괜찮은 걸까?
지금…씨발…!
여기서
이러고 있는 것도
짜증나!
네 정신 나간
소리 듣는 것도,
네 얼굴도 보기 싫고,
목소리도 듣기
싫다고!

너 같은
미친놈이랑 살 바에
태희랑…!
쾅!

스윽…

너, 내가 진짜
태희 죽이는 꼴
보고 싶어?
뭐…?

학교에 네
소문 퍼뜨린 거,
누군지 알아?
나야.
왜냐면 네 주변엔
네 인생에 하등
필요 없는 쓰레기들
뿐이었으니까.
그런 새끼들이
꼬일 바에 차라리
애들한테 무시받는 쪽이
훨씬 낫잖아?
이성현이나 송태희나…
너 보면서 머릿속에
개좆같은 생각이나 하는
버러지들… 걔네들이 진짜
친구라고 생각해?

…내 잘못이야… 처음부터 그렇게 우유부단하게 굴면 안 됐던 건데.
그랬으면 애초에 네 주변 사람들도… 대학도… 네 가족 회사…
그딴 건 전부 너한테 중요하지 않았을 텐데…

소문? 가족? 내가 방금 뭘 들은…
늦지 않았어 수영아.

나한테 와서 말해. 그러지 말라고. 앞으로 안 이러겠다고.
슥..

한마디만 하면 돼.
그럼 다 해결돼. 응? 돌아가자. 예전처럼…

그럼 우리
서로 좋아하던 때로
다시 돌아갈 수 있어.

좋은 말 할 때
내가 시키는 대로
하자. 응?

탓
탓
탓
탓

타닥

헉
헉
헉
아니야.

내가 알던
사람이 아니야.

슥..
저건 내가 알던
태지환이 아니야.
너 누구야?

슥..

특-

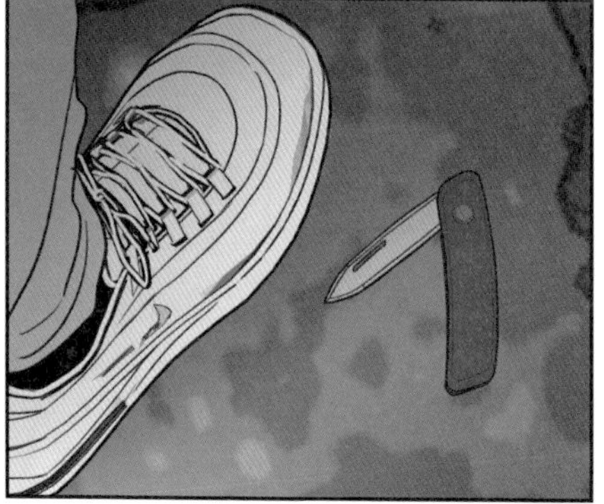

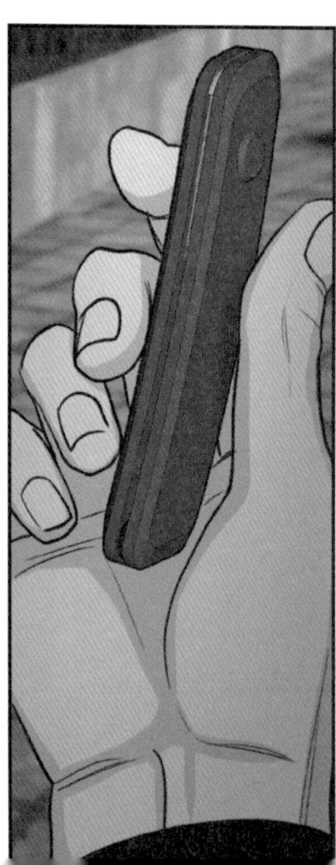

헉…
헉…
움찔
설마… 따라온 건 아니겠지?
한시라도 여기 못 있겠어. 일단 이사하기 전까진 다른 데 가 있는 게 나을 거 같아.
쾅

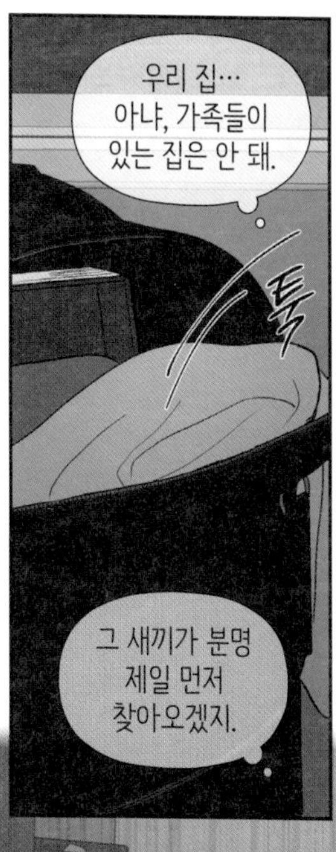
우리 집…
아냐, 가족들이
있는 집은 안 돼.
툭
그 새끼가 분명
제일 먼저
찾아오겠지.

어디로 가야 되지?
갈 곳도 딱히 없는데.
연락할 사람도 없고.
아니면 변두리
모텔이라도…

쿵

아까 잡혔던
어깨가 저릿저릿
아프다.
한 번도
내게 비춘 적 없던
얼굴과 목소리.

왜지?
어떻게
그럴 수가 있지?

그럼 그게 다
가짜였던 건가?
연기였던
거라고?

삐빅 삐빅
!

달칵

…….

너…! 지금
뭐 하는 거야?
너야말로
뭐 하는 거야?
어디 가?

슥,,
알 바
아니잖아?
당장 나가
내 집에서!

들어오지
마!
거기서
한 발자국이라도
움직이면 경찰에
신고할 거야!

주섬

왜지?
왜 내 말을 안
듣는 거지?
나…여태껏
너한테 부족함 없이
맞춰줬는데.

물질적?
아냐, 이건 아냐.
그럼 감정적인
문제인가?
네가 기분 좋으면
나도 기뻐하고,
네가 슬퍼할 땐
위로해주고…
표현할 수
있는 건 다 했는데,
그랬는데 왜?

네가 원하는 거
다 해주고, 널 거슬리게
하는 것들은 눈앞에서
치워주고…
수영아, 나한테
부족한 게 있었어?
말해주라. 내가 어떻게든
너한테 맞춰볼 테니까.
응?

…제발 무슨
말이라도 해줘. 내가
어떻게 해줄까?
저기다.
잠깐 이야기 들어주는
척하면서 주의만 돌려
놓으면 바로 뛰쳐나갈 수
있을 거 같은데.

…태지환,
그거 알아?
네가 여태까지
나한테 맞춰
줬다고 하는데…
진심으로
그렇게 생각해?

처음 만났을
때도 그랬어. 난
너랑 있으면 왠지 모르게
항상 불편했어.
저벅
종일 네 눈치를
살펴야 했고,
네 기분이 어떤지,
네 말 한마디에 어떻게
반응하면 좋을지.

그래서 너랑
가까워지면 가까워질수록
친구들이랑 점점 멀어지고
무리에서 겉돌게 되는
기분이었어.

너…생각보다
네 감정이 얼굴에
잘 드러나는 거 모르지?
그거 진짜 짜증나.
성가셔.
너 그러는 거
이젠 꼴도
보기 싫어.
…….

됐다, 조금만
더 옆으로…
흘긋
여차하면 그냥
밀치고 뛰쳐나가든가…

그럼… 그러니까
네 말은…
소, 손대지 마!
더 이상 너랑
엮이기 싫다고!
팍!
왜 이렇게
나한테 집착하는 거야?
싫다는데 자꾸
왜 이러는데!!

움찔
?

……네가
그랬잖아.
나
좋아한다며.
뭐야?

좋아한다
그랬잖아……
우…는
건가?

타탓!
아, 모르겠다.
지금이라면…!
덥석
어디 가?
나 두고
어디 가려고?

내가 너 이렇게 보내줄 거 같아?

…놔, 갈 거야.
어딜?
그러니까! 그게 네가 알 바냐고!

수영…
울지… 아니, 이제 다신 나 볼 일 없을 거야. 난 네가 시키는 대로 안 해.
이건 또 무슨 수작이지?
너도 그냥 네 인생 살아. 나도 내 인생 살 거야. 그러니까 제발…

내 앞에서 좀 꺼지라고!
쿵!

홱!

멈칫
신수영!
너 가면
나 죽을 거야.

수영아…
나한테 왜 그렇게
못되게 굴어?

난… 난 그냥 너랑
계속 같이 있고
싶을 뿐인데. 응?

왜지? 난 왜
내가 좋아하는
사람들이랑은 같이
있을 수 없는 거지?
엄마도…
너도…

가지 마.

어떻게 저런 생각을
하는 걸까?

자기 목에 칼
들이밀고 있는 사람을
앞에 두고 이런 생각을
하고 있는 내가 비정상인가.

아님, 그냥 역시
네가 비정상인가.

다만,
머릿속이 엉망이고
눈앞의 상황이
비현실적인 와중에도
한 가지 확실한 건.

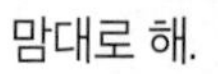

너 잠깐
좋아했던 거,
그냥 내
착각이었나 봐.

홱

툭-!

모호함의 언저리 4

초판 1쇄 인쇄 2024년 12월 1일
초판 1쇄 발행 2024년 12월 6일

글·그림 이지
펴낸이 정은선

표지 디자인 양혜민
본문 디자인 (주)디자인프린웍스

펴낸곳 (주)오렌지디
출판등록 제2020-000013호
주소 서울특별시 강남구 선릉로 428
전화 02-6196-0380 **팩스** 02-6499-0323

ISBN 979-11-7095-339-5 07810
979-11-7095-194-0 (세트)

www.oranged.co.kr